Colle

# Dans la collection Mon BiG à'moi

À PARAÎTRE EN AOÛT 2015

À PARAÎTRE EN SEPTEMBRE 2015

# LES SECRETS SUCRÉS DE LOLLY POP

Écrit par Geneviève Guilbault
Illustré par Richard Petit

Dépôt légal : Bibliothèque et Archives
nationales du Québec, 2e trimestre 2015

ISBN 978-2-924146-70-5

Imprimé au Canada

Gouvernement du Québec – Programme de crédit d'impôt
pour l'édition de livres – Gestion SODEC
Andara éditeur remercie la SODEC
pour l'aide accordée à son programme éditorial.

Nous reconnaissons l'aide financière
du gouvernement du Canada par l'entremise
du Fonds du livre du Canada (FLC)
pour nos activités d'édition.

info@andara.ca
www.andara.ca

DES
PERSONNAGES...
À CROQUER!

Plus lente qu'une tortue (selon son amie Zoé), elle est courageuse,

déterminée, et surtout très curieuse. D'ailleurs, cette curiosité l'amènera à faire une découverte exceptionnelle…
ainsi qu'une foule d'expériences abracadabrantes.

Sa phrase préférée :

« Donne-moi deux minutes! »

Il est le plus gourmand de tous les petits frères. Lolly le surnomme affectueusement « Mini Pop ». Il n’a pas la langue

dans sa poche (seulement des bonbons) et ne se gêne pas pour rouspéter quand il n’est pas content (comme la majorité des petits frères).

BÉCOT TOUJOURS JOLIE
TEXTO
TOI ET MOI
LOVE
CUTE

# ANAÏS ET CORNELIUS POP

BÉCOT TOUJOURS JOLIE
TEXTO BYE BOY POP
TOI ET MOI LOLLY BEC MISS GLAM
BIG SECRETS WOW COOL

Ce sont les parents de Lolly et Léo. Tous les enfants aimeraient avoir des parents comme eux parce qu'ils sont les propriétaires de LA boutique la plus cool de la ville : la confiserie Croc ! Miam ! Pop !

Elle travaille à la boutique des parents de Lolly depuis des années et ne se déplace jamais sans Guimauve, son petit chien trop trop mignon. Lolly l'aime comme si elle était sa propre grand-mère.

Madame Candy
est la spécialiste
des vêtements
extravagants !

10 ANS
QUATRIÈME ANNÉE

Zoé est la best de toutes les **BFF**! Elle est une passionnée de basketball et ne rate jamais une partie, ni même un entraînement. Elle deviendra la complice de Lolly dans cette aventure tout à fait sucrée!

# Chapitre 1

Qu'est-ce qu'on fait quand on est pressé ?
**ON COURT !**

Lolly a attendu ce moment toute la semaine.

Dès que la cloche sonne pour annoncer la fin des cours

DRRRIIINNNGGG

elle se précipite dans le corridor et enfile son habit de neige.

— Tu es bien pressée, aujourd'hui ! s'étonne madame Tania, son enseignante.

— Oh oui ! répond Lolly, les yeux ronds. Je suis **TROP TROP** excitée !

Madame Tania éclate de rire.

— Et pourquoi donc ?

Lolly hésite. Elle ne veut pas perdre de longues minutes à lui expliquer pourquoi elle est heureuse au point d'avoir envie de sauter partout.

Elle lui fait donc un joli sourire et dit poliment :

— C'est une fin de semaine spéciale pour moi. Je vous raconterai tout ça lundi, c'est promis !

Je dois y aller, maintenant. Zoé m'attend.

Sans même se retourner, elle dévale l'escalier et franchit les portes qui donnent sur la cour d'école. Une fois dehors, elle contourne des élèves qui s'amusent à se lancer des boules de neige (oh ! si la surveillante les voyait, ils se feraient avertir, c'est sûr !) et passe à côté de la

rangée d'autobus scolaires.

Lolly ne prendra pas l'autobus, aujourd'hui. Sa mère lui a donné la permission de rentrer à pied avec sa best.

— Je veux que vous restiez toujours ensemble, Zoé et toi, c'est d'accord ?

— Oui, maman.

— Et je veux que vous rentriez directement à la maison, c'est d'accord ?

— Oui, maman.

— Et je veux que vous attendiez le feu vert pour traverser la rue. Interdiction de parler aux inconnus, interdiction de

vous arrêter en chemin, interdiction de…

— Ça va, maman ! Je n’ai plus deux ans, je suis en quatrième année ! Je suis capable de revenir à la maison sans problème.

— Je sais, ma puce, mais il y a tellement de dangers, de nos jours…

— Ne t'inquiète pas pour moi. Dis-toi que j'ai l'intention de rester en vie. Et si je me fais attaquer par une sauterelle croqueuse d'hommes ou par un poisson volant à grandes dents, je te promets de me servir des cours de karaté que j'ai suivis l'année dernière.

Anaïs a levé les yeux au ciel. Sa fille a vraiment une imagination débordante !

— C'est bon, mais soyez prudentes.

— Oh yes ! Yes !

Comme elle s'apprête à quitter la cour d'école, Lolly entend quelqu'un l'appeler.

— Hé ! Lolly !

Chloé, une fille de sa

classe, lui fait de grands signes avec les bras.

— Tu viens jouer avec nous au parc ?

Elle est entourée d'une dizaine d'amis qui l'invitent à les rejoindre.

— Désolée, je ne peux pas. Ma mère m'attend à la confiserie.

Chloé écarquille les yeux. À l'école, tout le monde sait que Lolly habite dans ce super magasin sucré.

— Oh ! Vous avez besoin d'aide ? demande-t-elle avec espoir. Je pourrais servir les clients.

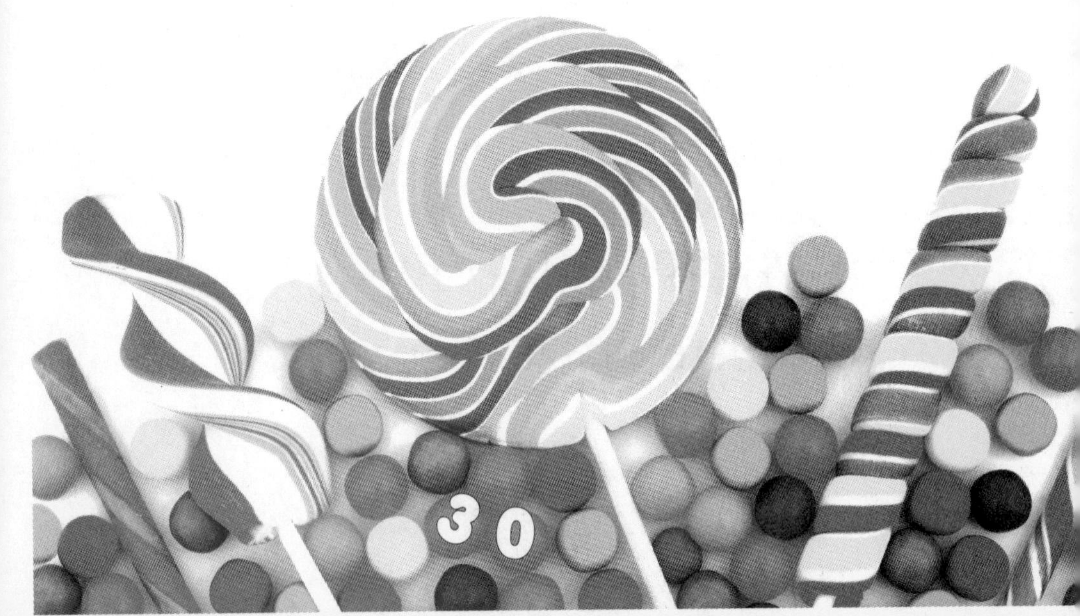

— Et moi, je remplirais les présentoirs, ajoute une dénommée Julia.

Soudain, tout le monde s'approche de Lolly pour proposer ses services.

— Je peux passer le balai, ça ne me dérange pas.

— Je répondrai au téléphone, si tu veux.

— Je suis très bon pour laver les toilettes !

Lolly ne peut s'empêcher de rigoler. Pierre-Loup Casse-Cou dans ses toilettes ? Jamais de la vie ! Il serait capable de perdre pied et de tomber directement dans les égouts.

**FLUSSCHH !**

De toute façon, Lolly imagine la tête que ferait sa mère si elle rentrait avec sa bande de copains... **Aïe, aïe, aïe !** Elle ne serait pas contente !

— Vous êtes bien gentils, leur dit-elle en levant

les mains pour les calmer, mais on a tout le personnel qu'il nous faut.

— Je suis sûr que j'aurais été très bon pour laver les toilettes...

Une vibration se fait sentir dans la poche de son manteau. Lolly enlève son gant et attrape son iPod pour vérifier qui l'a textée. C'est Zoé, sa...

— Excusez-moi, dit-elle à ses amis. Je dois répondre.

— On se voit lundi ? demande Chloé.

Lolly sait bien ce qu'elle espère.

— Oui, on se voit lundi. Je vais essayer de vous rapporter une petite surprise.

— Oh ! Génial !

— Oui !

— Merci, Lolly ! Tu es trop **top** !

— En tout cas, ne viens pas te plaindre si les toilettes ne sont pas propres…, marmonne Pierre-Loup Casse-cou en s'éloignant avec déception.

Lolly se sépare du groupe et lit le message de Zoé.

Lolly lui écrit aussitôt :

Où es-tu ?

Dans la cour. Donne-moi deux minutes ! J'arrive !

Grouille !

Je ne peux pas texter et avancer en même temps. Laisse-moi une chance !

Dac. Rejoins-moi au coin de la rue.

Lolly éteint son iPod et pique un sprint. Elle aperçoit bientôt Zoé qui s'impatiente.

— Je suis là ! annonce-t-elle, essoufflée.

— Enfin ! J'avais peur que tu sois morte !

— Ce n'est pas ma faute. Madame Tania voulait ABSOLUMENT qu'on termine nos tâches avant de partir pour la fin de

semaine. On n'a pas pu commencer à s'habiller avant la cloche. J'ai fait vite, je te le jure !

Lolly observe son amie. Fiou ! Elle n'a pas l'air fâchée. Au contraire, elle a du mal à tenir en place.

— Bon ! On y va ? demande Zoé, en sautillant. J'ai trop hâââââte !

— Oui, moi aussi !

— On court ?

— Hein ? Pourquoi ?

— On pourrait essayer d'arriver avant l'autobus. Ça serait un beau défi.

— Je ne vois pas l'intérêt. En plus, c'est impossible, comme défi.

— Allez, Lolly ! L'autobus fait tout plein de détours, je suis sûre qu'on peut le battre. Ça serait amusant !

Lolly retrousse le nez. Zoé et elle n'ont pas la même définition du mot « amusant ».

— OK, mais promets-moi de ne pas aller trop vite. Tu sais que je ne suis pas aussi rapide que toi.

Zoé est super en forme ! Elle s'entraîne tous les jours. Beau temps, mauvais temps, elle court tous les matins. Même en hiver ! Et quand il y a une tempête de neige (ou que le thermomètre indique -1000 degrés Celsius),

elle utilise le tapis roulant dans son sous-sol. Elle dit qu'elle doit tout faire pour être la meilleure dans son équipe de basketball.

Lolly ne comprend pas pourquoi son amie aime tant ce sport. Pour être honnête, elle ne voit pas ce qu'il y a de plaisant à se bousculer dans

un gymnase
pour tenter
de faire entrer
un ballon dans
un panier trop
petit.

Non, mais
c'est vrai !
Ils pourraient
au moins
rapetisser
la taille
du ballon!

Mais bon, chacun ses goûts, comme on dit.

— Je n'arrive pas à croire que ta mère nous ait demandé de l'aider, dit Zoé en bondissant comme une gazelle.

— Oui ! C'est fantastique ! répond Lolly, en lui emboîtant le pas. J'ai du mal à y croire, moi aussi.

— C’est parce que tu as de bonnes idées ! En plus, tu vis dans cette boutique depuis que tu es née. Tu la connais mieux que personne !

— Je ne la décevrai pas, sois-en assurée !

Lolly est déjà essoufflée. Pas facile d’avancer avec

des bottes, un pantalon de neige et un sac à dos ! (SURTOUT s'il faut parler en même temps ! )

Elle choisit donc de se concentrer sur sa respiration et de laisser Zoé jacasser toute seule. Ce n'est pas un problème, elle a toujours plein de choses à raconter.

— Je suis allée voir sur Internet et ça m'a donné des idées, commence-t-elle. La Saint-Valentin est une thématique hyper inspirante ! Je suis sûre qu'on va faire quelque chose d'original ! On pourrait fabriquer une sculpture de ballons ou faire jouer des chansons d'amour. On pourrait aussi…

Lolly l'écoute à peine. Elle transpire à grosses gouttes sous son habit de neige. Pourquoi a-t-elle accepté ce défi inutile ?

Au bout d'un certain temps, Zoé donne un coup de coude à son amie.

— On arrive ! Tu vois, ce n'était pas si difficile !

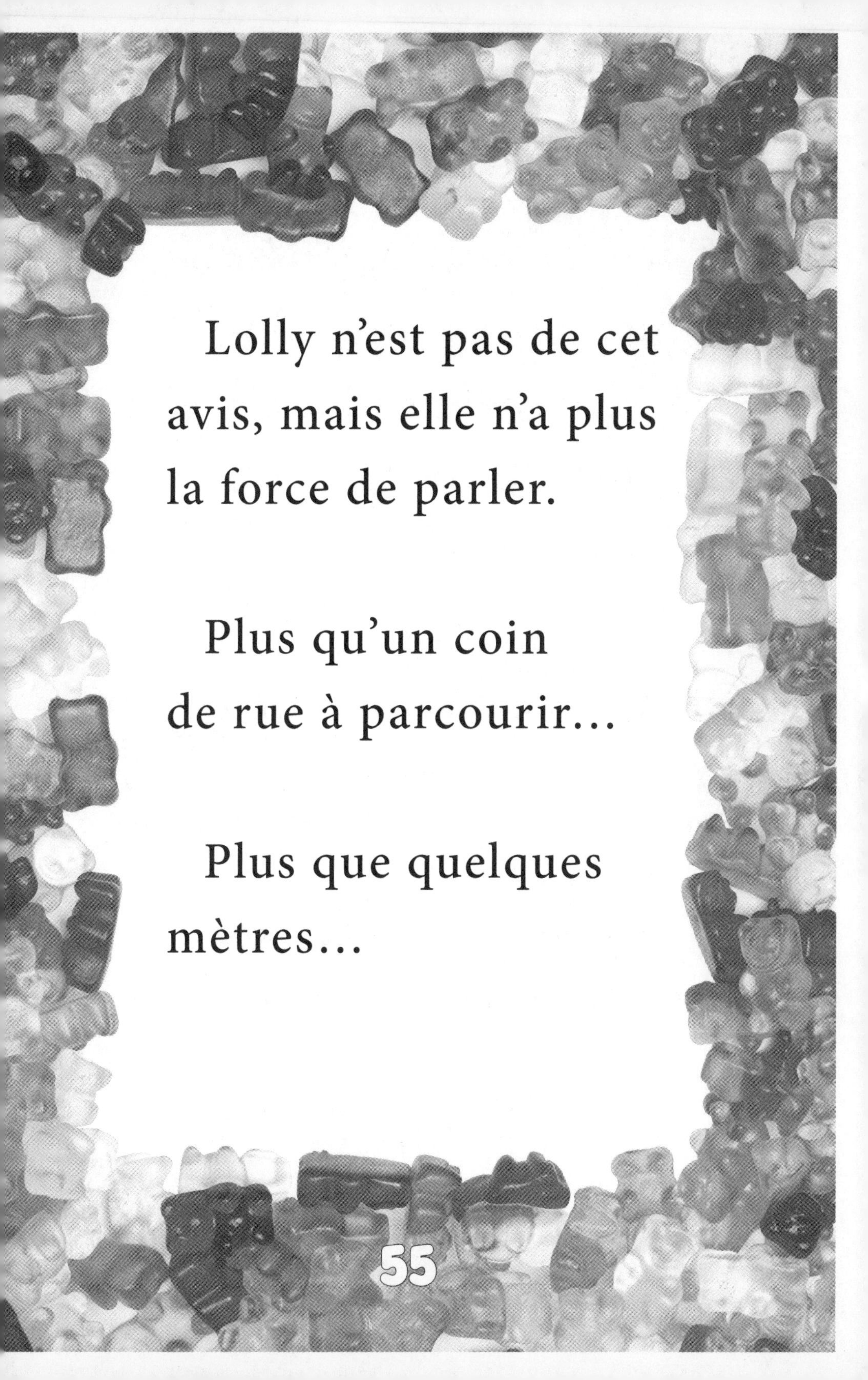

Lolly n'est pas de cet avis, mais elle n'a plus la force de parler.

Plus qu'un coin de rue à parcourir...

Plus que quelques mètres...

Enfin ! Elles y sont !

# Chapitre 2

Prépare-toi à entrer dans le plus extraordinaire, le plus **coloré** et le plus **sucré** des endroits au monde.

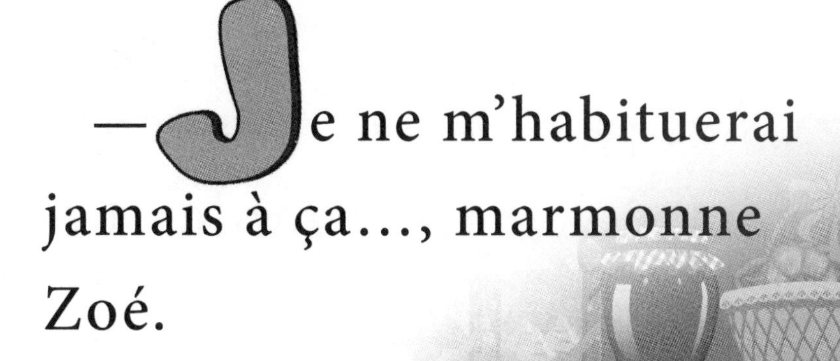

— Je ne m'habituerai jamais à ça…, marmonne Zoé.

— Quoi ?

— Tout ça !

Zoé pointe la façade de la confiserie, la bouche grande ouverte.

Elle attire l'œil comme un feu d'artifice.

Les passants ne peuvent s'empêcher de regarder à travers la vitrine décorée de lettres scintillantes et de bonbons multicolores.

— C'est tellement… C'est trop…

— Appétissant ?

— C’est trop difficile de résister ! se lamente Zoé en essuyant la bave qui lui coule au menton. Comment tu fais pour vivre ici sans avoir le goût de tout dévorer ?

— On s’y fait, crois-moi. Allez, viens, maintenant ! dit Lolly en tirant le manteau de son amie. Ma mère doit nous attendre.

Lolly tourne la poignée de la porte et l'ouvre bien grande.

DIGUELIGUELING !

Aussitôt, elle est enveloppée d'une douce odeur de sucre, de chocolat et de popcorn au caramel.

— Hummm…

Zoé salive.

— Ça sent si bon, chez toi ! Vas-y ! Entre !

Elle pousse un peu sur le sac à dos de Lolly, mais celle-ci ne bouge pas d'un poil.

— Je ne peux pas, je suis collée.

— Hein ?

— Mon gant est collé à la poignée, je n'arrive pas à l'enlever.

— Allez ! s'impatiente Zoé.

— Quelqu'un l'a arrosée de sirop d'érable, ou quoi ?

— Tant pis ! Oublie ton gant ! Laisse-le là et entre !

Lolly soupire et retire sa

main de son gant. Elle s'occupera de ce problème plus tard. Pour l'instant, elle a mieux à faire.

Dès que les deux filles posent le pied dans la confiserie, elles sont accueillies par une boule de poil tout excitée.

— Coucou, Guimauve ! s'exclame Lolly en s'agenouillant au sol. Comment tu vas, aujourd'hui ?

Pour toute réponse, le petit chien blanc et noir grimpe ses pattes de devant sur son bras et la lèche du menton aux oreilles, sans jamais cesser d'agiter la queue.

Lolly éclate de rire.

— Doucement, doucement ! Je ne suis pas une sucette !

La jeune fille prend l'animal et le lève bien haut pour l'admirer.

En effet, la petite bête porte un manteau vert sur lequel sont dessinées des centaines de fleurs roses et mauves.

— C'est parce qu'on a hâte au printemps, mon sucre d'orge ! annonce une voix que Lolly aime par-dessus tout.

Elle tourne la tête vers le comptoir et pose les yeux sur madame Candy.

Madame Candy est la plus merveilleuse de toutes les grand-mères du monde entier.

Bon, elle n'est pas la grand-mère de Lolly pour VRAI, mais PRESQUE. Voici pourquoi :

**1 Premièrement** (la spécialité de toutes les grand-mamans) :

Elle la gâte, lui donne des surnoms d'amour (comme « mon sucre d'orge » ou « mon cœur à la cannelle ») et la garde

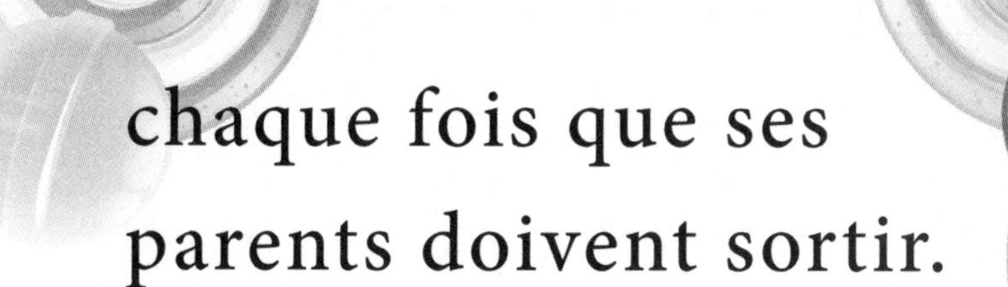

chaque fois que ses parents doivent sortir.

## 2 Deuxièmement

(le pouvoir des quatre « S »):

Elle l'emmène faire plein de Sorties Surprises Super Spéciales. (Comme la fois où elles ont visité une usine de farces et attrapes ; c'était hilarant !)

**Troisièmement** (le plus important de tout) :

Elle ne la dispute **JAMAIS**.

Quoi demander de mieux ?

Lolly est contente que madame Candy fasse partie de sa vie parce que, des vrais grands-parents, elle n'en a plus.

Elle blottit Guimauve dans le creux de ses bras et s'avance vers sa « presque » grand-mère.

Aujourd'hui, elle est tout habillée de vert, comme son petit chien. Elle porte des boucles d'oreilles en forme de tulipes jaunes, un long collier de perles (en fleurs, évidemment !) et des lunettes en papillon.

En plus de tout ça, elle s'est fabriqué un drôle de chapeau avec un pot de fleurs rempli de marguerites ! ( Sûrement pas très confortable... )

On peut dire qu'elle a le tour de trouver des looks complètement fous !

— Maman est là ?

— Oui, elle est en bas

avec ton père. Elle reviendra dans quelques minutes.

C'est lui qui se charge des chiffres : le budget, les bilans financiers, les états de compte, et tous les autres mots compliqués. C'est looiiinnn d'être intéressant !

— Hum… Je crois que ton amie a besoin d'aide, dit madame Candy en lui faisant un clin d'œil complice.

Lolly se retourne vers Zoé. Elle semble collée au sol, comme si elle avait les pieds coincés dans une gomme géante. Tout ce qu'elle arrive à faire, c'est tourner la tête de gauche à droite, les yeux rivés sur les milliers ET LES MILLIERS de bacs remplis de friandises.

— Je vais devenir folle…

— Mais non, la rassure Lolly en posant la main sur son épaule.

— C'est trop de sucre… C'est trop de couleurs… C'est trop… trop de « **WOW !** » et de « **MIAM !** ».

Lolly lève le menton à son tour. C'est vrai que la confiserie est belle. Il y a des bonbons partout. Du plancher au plafond !

Tout au fond de la pièce, il y a un présentoir bourré de chocolats que ses parents achètent directement de la Belgique. Chocolats noirs, chocolats au lait, chocolats blancs. Au nougat et aux noix... fourrés aux fraises ou à l'orange... en barre ou en morceaux croquants, et même en petites boules qui fondent dans la bouche.

Un peu plus près, sur le mur de droite, les jujubes volent la vedette. Ils sont emprisonnés dans de hautes tours de verre transparent. Comme ça, les clients peuvent facilement choisir ceux qu'ils préfèrent.

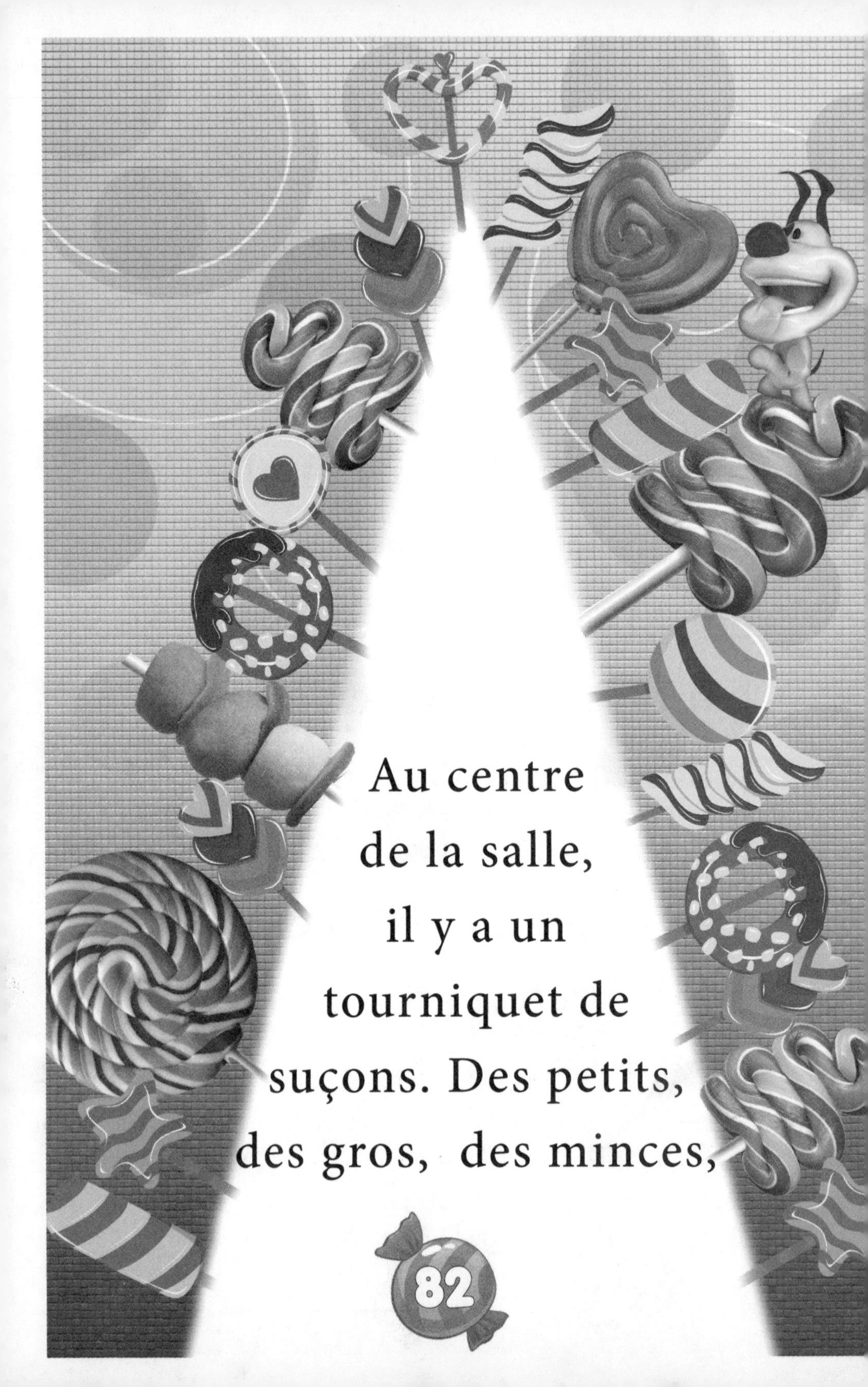

Au centre
de la salle,
il y a un
tourniquet de
suçons. Des petits,
des gros, des minces,

des épais, des jaunes, des verts, des bleus, des rouges, des multicolores, certains en forme de fleurs, d'autres en papillons, des ronds, des tortillés, bref, il y en a trop pour tous les décrire !

Les autres murs sont garnis de tablettes sur lesquelles on retrouve de TOUT ! Sans blague ! Aucune friandise n'est

oubliée dans cette boutique ! Il y a des réglisses, des courtes, des longues, des fines, des larges, des plates... Certains bonbons sont enrobés de sucre en poudre...

**Miam !**

… d’une poudre surette qui fait grimacer…

**Iiicccchhh !**

… ou de cristaux pétillants.

Il y en a des comiques, aussi, comme ceux en forme de crottes, ceux en forme de nez,

et ceux en forme de crottes de nez (**hi, hi!**).

De la gomme balloune, des caramels, du nougat, des œufs en gelée, de la guimauve, du sucre d'orge, du popcorn, et même...

**EXACTEMENT!**

Une machine à barbe à papa!

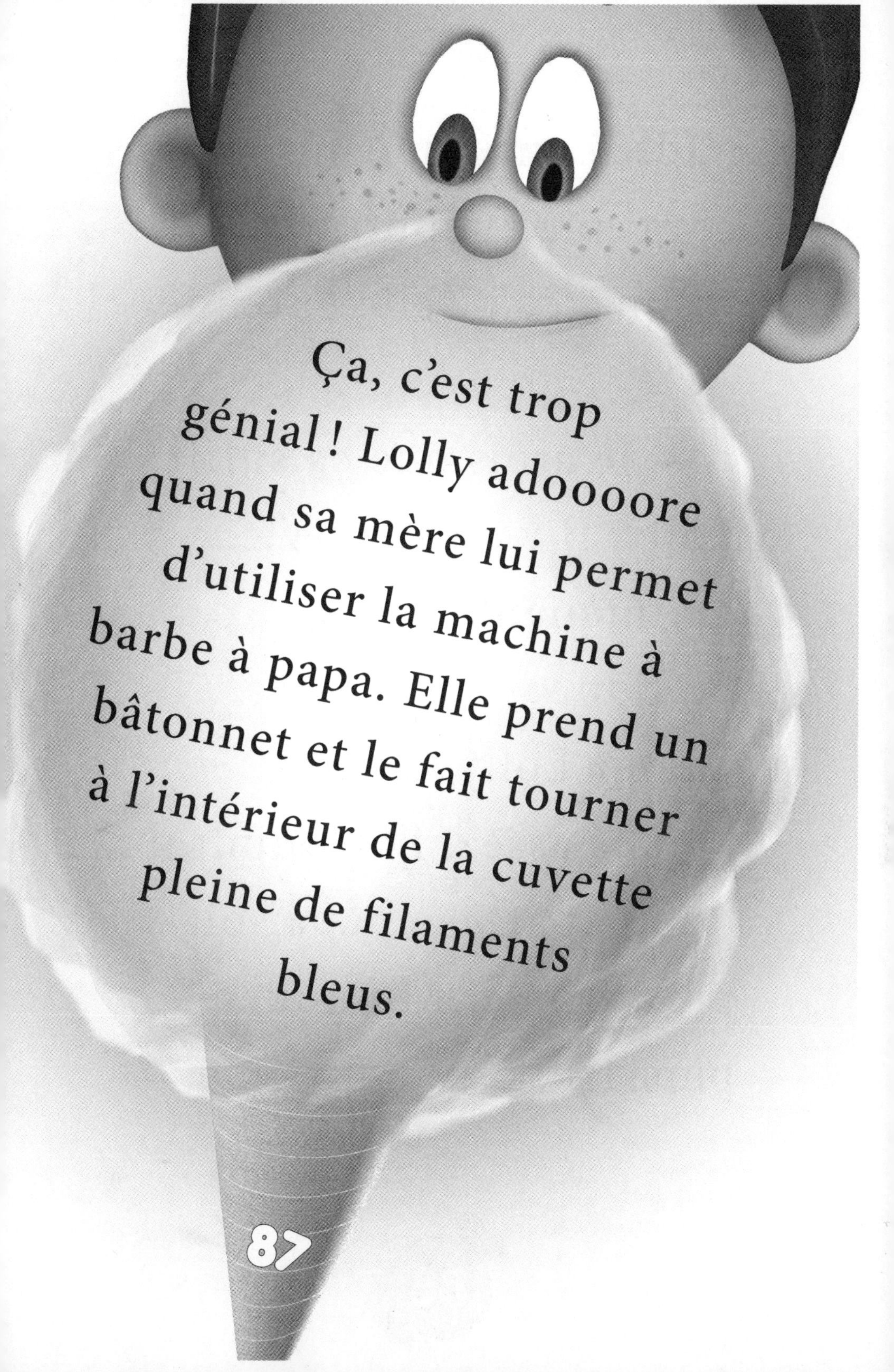

Ça, c'est trop génial ! Lolly adoooore quand sa mère lui permet d'utiliser la machine à barbe à papa. Elle prend un bâtonnet et le fait tourner à l'intérieur de la cuvette pleine de filaments bleus.

Elle continue, elle continue et continue, jusqu'à ce qu'elle entende :

— Je crois que ça suffit, Lolly. Il y en a assez, maintenant.

Pour Lolly, ce n'est jamais assez. Elle voudrait que sa barbe à papa soit plus grosse… toujours plus grosse !

Juste à côté de la fameuse machine se trouve le présentoir à brochettes de bonbons.

Dans tout le magasin, c'est de loin l'endroit préféré de son amie Zoé.

Elle passe son temps à le faire tournoyer et à examiner les bâtonnets un par un, à les sentir, et même à leur parler.

Oui, oui !
À leur
parler !

Lolly l'a surprise en intense conversation avec une brochette, juste avant Noël.

Résumé du dialogue le plus bizarre jamais entendu alors que Zoé tient dans les mains une baguette remplie de sapins, de lutins et de couronnes.

— Je t'ai remarquée dès le premier jour, tu sais ?

Tu es très jolie. Et tu sens tellement bon! Si j'avais assez de sous, je t'achèterais sur-le-champ. Le problème, c'est que j'ai dépensé tout mon argent pour acheter ton amie, la semaine dernière. Tu sais, celle qui avait un renne, sur le dessus ? Elle était délicieuse.

Zoé a ouvert les yeux tout grands, comme si elle

avait fait la pire bêtise au monde.

— Non ! Ce n'est pas ce que j'ai voulu dire ! Je ne l'ai pas dévorée ! Enfin, oui, mais il ne faut pas m'en vouloir.
Les friandises sont faites pour être mangées, pas vrai ?

Le résumé s'arrête là parce que Lolly s'est éloignée de son amie. Non, mais ! Qui dit que ce n'est pas contagieux comme la grippe, cette manie de parler aux bonbons ?

Lolly sort de sa rêverie quand la porte du magasin s'ouvre brusquement.

# Chapitre 3

La journée parfaite de Lolly ne sera peut-être pas **SI** parfaite, finalement !

— Hé ! Pourquoi tu n'étais pas dans l'autobus ? demande Léo, en entrant comme un coup de vent.

— Maman m'a laissée revenir à pied, explique Lolly à son petit frère.

— QUOI ? Et moi ? Pourquoi je n'ai pas le droit de revenir à pied, moi aussi ?

— Parce que tu es encore un Mini Pop de rien du tout.

Léo tire la langue à sa sœur et s'agenouille au sol

pour saluer son ami poilu. Tout de suite, Guimauve se jette sur lui et le lèche au visage.

— Hi, hi ! Ha, ha ! Tout doux, Guimauve ! ricane-t-il. Hou, hou ! Bonjour, madame Candy ! Hi, hi ! Ha, ha !

— Salut, mon petit ange.

Lolly grimace. « Mon petit

ange » ? Selon elle, Léo n'a vraiment rien d'un ange !

— Est-ce que je peux l'emmener jouer dans ma chambre, madame Candy ? Vous voulez bien ? Hein ? Vous êtes d'accord ?

— Bien sûr, mon Léo-chou, coccipou de poussin en or ! Il adore quand tu t'occupes de lui.

Lolly trouve ça très comique quand elle parle en « bébé la la ». Son frère pourrait se fâcher (c'est ce qu'il fait avec ses parents !), mais apparemment, avec madame Candy, ça lui est égal.

Léo traverse la boutique et range son habit de neige dans la garde-robe du corridor. Juste au moment

où il s'apprête à filer, Lolly intervient :

— Tu n'aurais pas quelque chose dans ta bouche, par hasard, Mini Pop ?

Léo n'en revient pas ! Il avale la friandise qu'il cachait dans sa joue et demande :

— Comment tu as fait pour deviner ?

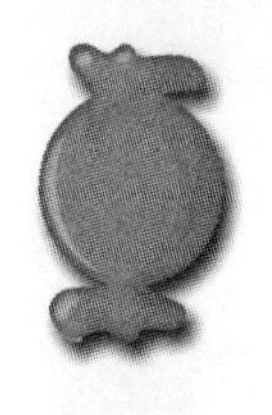

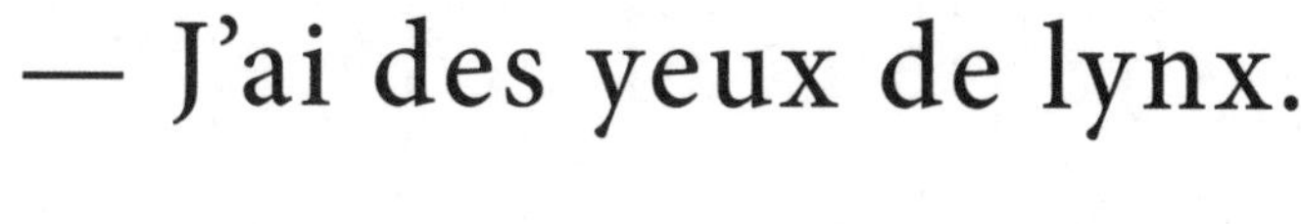

— J’ai des yeux de lynx.

— Oui, mais j’ai été plus vite qu’un magicien !

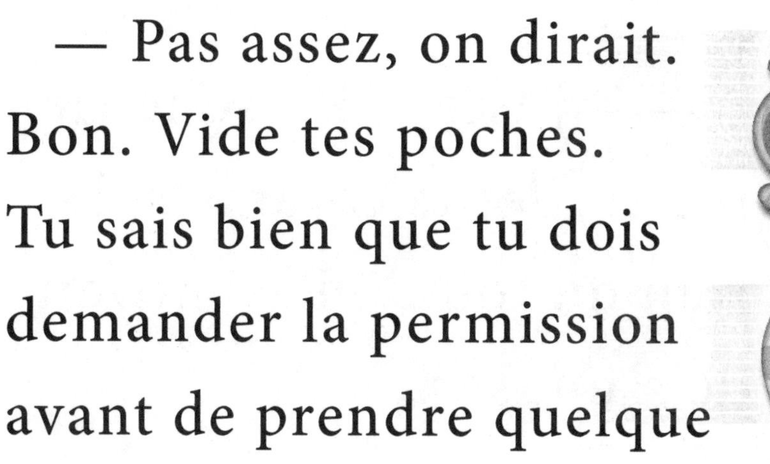

— Pas assez, on dirait. Bon. Vide tes poches. Tu sais bien que tu dois demander la permission avant de prendre quelque chose.

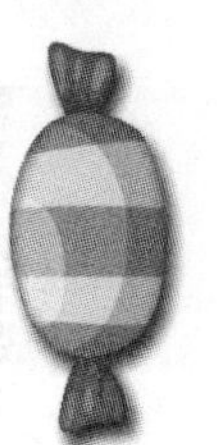

— **Pfff !** Tu n’es pas ma mère !

— Je peux aller la chercher, si tu veux.

Léo fait « non » de la tête et avance en bougonnant.

— Injuste… Presque rien pris… Petits caramels de rien du tout… Pas moyen de s'amuser…

— Vide tes poches, répète Lolly.

Le garçon obéit et dépose une poignée de bonbons dans la main de sa sœur.

— Une gomme balloune ?

— Triple « non ».

Le garçon pose les poings sur les hanches.

— Ça suffit ! Tu ne peux pas dire triple « non » !

— Pourquoi ?

— Parce que. Ça n'existe

pas. Ça arrête à deux.

— Je ne savais pas qu'il y avait une loi du « non ».

— Oui, c'est comme ça.

— Depuis quand ?

— Depuis maintenant !

Furieux, Léo tourne les talons.

— En passant, c'est super poche, ton idée de déco.

— Tu te penses bonne en décoration, en plus ! Pfff ! Un gant sur une poignée de porte ! Franchement ! Pfff ! **Affreux** !

Oups ! Lolly l'avait complètement oublié, celui-là ! Elle se rend dans

l'entrée, attrape son gant et tire de toutes ses forces.

— Voyons ! Il ne vient pas !

— Attends, je vais t'aider, propose Zoé.

Les filles agrippent le gant à deux mains (ou plutôt à quatre mains)

et redoublent d'efforts.

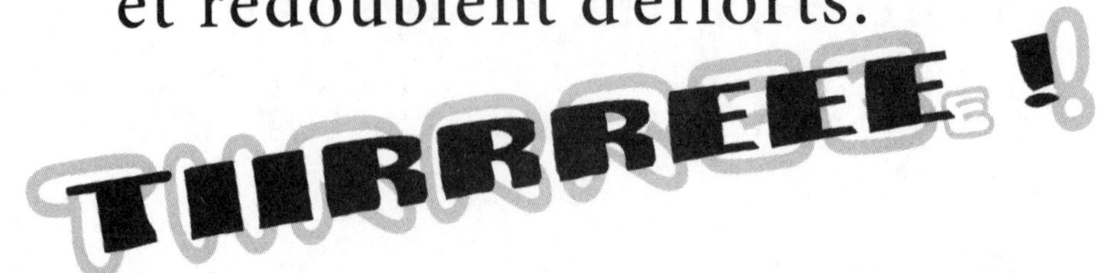


— Attention ! Il va se déchirer !

— Je fais ce que je peux !

— Plus à gauche !

— Non, plus à droite !

Rien à faire, il est coincé là.

C'est madame Candy qui trouve la solution. Elle suggère d'utiliser de l'eau chaude pour faire fondre le sucre et décoller le gant.

— Bonne idée ! approuve Lolly. C'est un peu comme quand on se colle la langue sur un poteau de métal gelé !

— Oh oui ! Tu te rappelles d'Olivier Lalancette-Morissette, l'année dernière ?

— Comment je pourrais oublier ? Il avait passé la moitié de la récréation à attendre que quelqu'un le délivre du poteau de la clôture.

— Il avait la langue en sang !

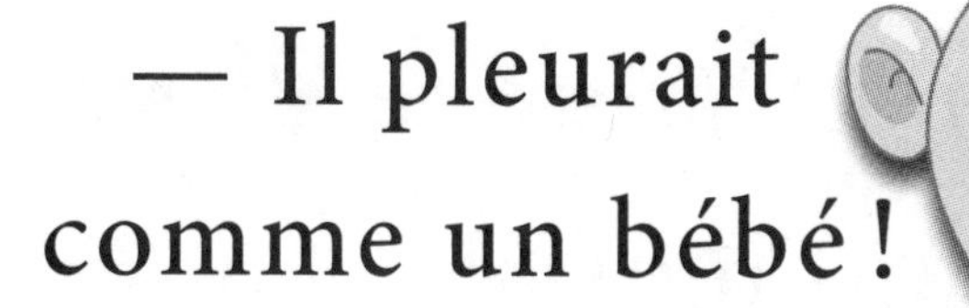

— Il pleurait comme un bébé !

Lolly aurait peut-être pleuré, elle aussi, dans pareille situation, mais elle fait semblant de rien.

Finalement, l'astuce de madame Candy fonctionne et elle parvient à libérer le gant. Il était temps !

Maintenant, que le **VRAI** plaisir commence !

Les deux amies vont enlever leurs vêtements d'hiver dans le couloir en sautillant sur place. Quelques secondes plus tard, la maman de Lolly arrive.

— Pourquoi Léo s'est-il enfermé dans sa chambre ? demande-t-elle. Il s'est

passé quelque chose ?

— Rien de grave. Je m'en suis occupée. Alors ? Tu es prête ?

Lolly n'arrive pas à cacher son excitation. Pour la toute PREMIÈRE fois depuis que ses parents ont acheté la confiserie, elle va aider à la décoration. Pas juste en gribouillant quelques

dessins comme quand elle était petite.

NON !

Pas juste en bricolant un cœur en papier mâché ou une guirlande de carton.

Elle va participer aux trucs VRAIMENT importants !

— Par quoi on commence, maman ? Les colliers de bonbons ? Les présentoirs à chocolats ?

— **Lolly...**

— Oh ! Tu te souviens, j'avais eu l'idée de fabriquer de jolis bouquets de fleurs avec des jujubes !

— Lolly…

— On pourrait les mettre ici, à côté des brochettes. Qu'est-ce que tu en dis ?

Elle ne comprend pas pourquoi sa mère la regarde avec ce drôle d'air.

— On est LOIN d’être rendues là, ma puce.

— Qu’est-ce que tu veux dire ?

— Il y a beaucoup de travail à faire avant de penser à tout ça.

— Hein ? Comme quoi ?

Curieuse, Zoé s’approche de Lolly. Elle n’a pas trop aimé entendre le mot « travail ».

Anaïs leur explique qu'il faut retirer des étalages toutes les confiseries de Noël. Puisque le temps des fêtes est terminé depuis deux semaines, elles doivent les rassembler et préparer des paquets qui seront mis en solde. Ensuite, il faudra nettoyer les tablettes, faire la rotation des produits restants, dresser l'inventaire, et bla bla bla, et...

# Trop plate !

Lolly est découragée ! Elle qui croyait qu'elle allait s'amuser ! Elle se tourne vers sa best, qui ne semble pas plus contente.

— Tu sais, je vais peut-être souper chez moi, finalement...

— Non ! Ne me laisse pas tomber ! S'il te plaît !

Zoé réfléchit.

— Je reste un peu et, après, je m'en vais. Je suis désolée, Lolly, mais j'ai assez de ménage à faire dans ma chambre. Je n'ai pas envie d'en faire ici aussi.

Lolly est furieuse. Elle s'éloigne de son amie en tapant du pied et attend les directives de sa mère. Décidément, cette journée ne se déroule pas du tout comme elle l'aurait souhaité !

# Chapitre 4

Un petit frère tout à fait insupportable + une Lolly impatiente et de mauvaise humeur = une découverte fascinante !

« Lolly, peux-tu faire ceci ? Lolly, peux-tu faire cela ? »

Non, mais ça suffit ! Qu'est-ce qui lui a pris de vouloir aider sa mère, aussi ? Elle ne s'était pas imaginé que son vendredi serait si déprimant !

Comme si ce n'était pas assez, madame Candy est repartie chez elle avec

Guimauve, alors Léo leur tourne autour parce qu'il ne sait pas quoi faire de ses dix doigts.

— Ouache ! Dégueu ! lâche Zoé, alors qu'elle s'apprête à laver un drôle d'objet accroché au mur. Qu'est-ce que c'est que ça ?

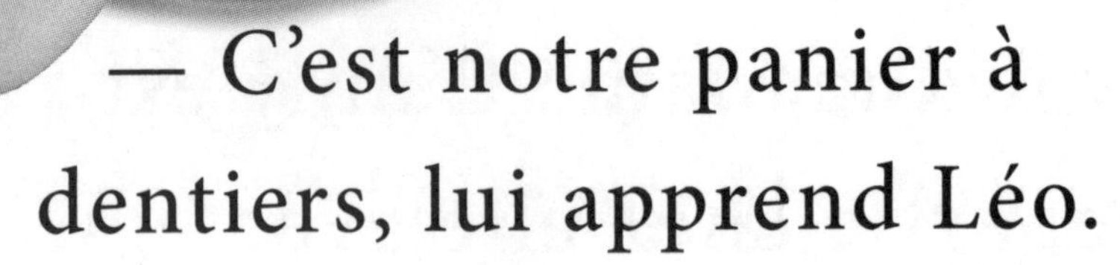


— C'est notre panier à dentiers, lui apprend Léo.

— Votre... Hein ? Quoi ? C'est une blague ?

Zoé recule d'un pas.

— Pas du tout ! C'est mon idée, ce qui fait que c'est une très bonne idée ! Les bonbons collent aux dentiers, tu devrais le savoir.

Les gens entrent, déposent leurs dents ici et les reprennent en sortant. Tu comprends ?

— Euh… Non ! Comment peuvent-ils manger des bonbons s'ils N'ONT PAS de dents ?

— Ben là ! Ce n'est pas compliqué ! On leur donne du mou.

Zoé secoue la tête. C'est trop bizarre ! Du mou ?

— En tout cas, c'est archi dégoûtant ! Celui-là est en piteux état ! Je ne vais pas le nettoyer, ça, c'est sûr !

Léo court rejoindre Zoé.

— Quelqu'un a oublié son dentier ? Pour vrai ?

Oh ! Wow ! Je peux le garder, maman ? Dis oui ! Dis oui ! Dis oui !

— Bien sûr que non, voyons ! s'objecte Anaïs. Il appartient à quelqu'un.

— Oh ! Tu veux que je mène une enquête ? Je pourrais installer des affiches à travers la ville. Je suis un brillant détective, tu sais ! Je peux

régler cette affaire en un rien de temps.

Anaïs lui explique que ce n'est pas nécessaire et Léo boude un peu. Tant mieux. Au moins, pendant ce temps-là, il arrête de poser des questions.

Mais son silence ne dure pas très longtemps…

— Qu'est-ce que c'est, ça, maman ?

— C'est un produit nettoyant.

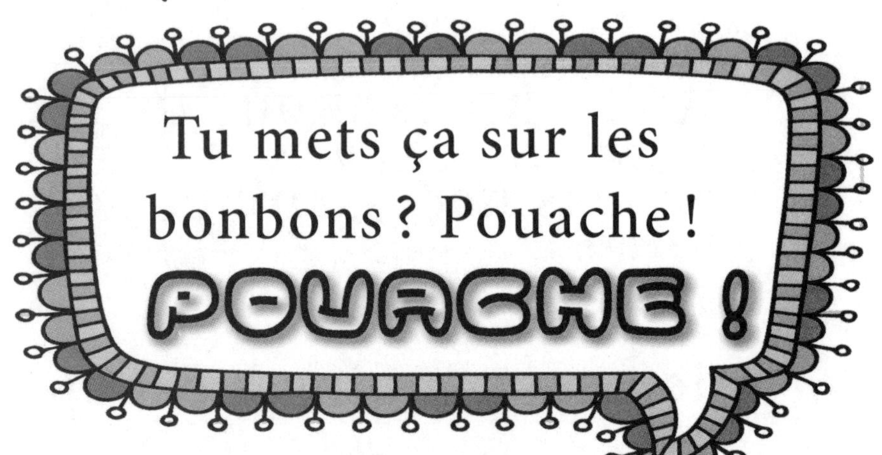


— Non, mon chéri. Je l'utilise pour laver les tablettes. Il est biodégradable et sans danger pour les aliments.

— Ça veut dire quoi, bio-désagréable ?

— C'est un peu comme toi ! se fâche Lolly, qui n'en peut plus de l'entendre jacasser. Ça veut dire TROP TROP désagréable.

— Pardon ? intervient sa mère, les sourcils froncés.

Lolly sait bien qu'elle n'aurait pas dû dire ça. Après tout, ce n'est pas de la faute de son frère si elle

est de mauvaise humeur. Elle s'excuse immédiatement.

— Ouin, ben ce n'était pas très gentil ! proteste Léo. Tu m'as fait beaucoup de peine. Hein, maman, qu'elle m'a fait de la peine ?

— J'imagine, oui.

— C'est certain ! insiste-t-il. Elle m'a fait tellement

de la peine que j'ai juste le goût de pleurer. Peut-être que… peut-être qu'en me choisissant un bonbon, je me sentirais moins triste. Hein, maman ?

Léo lève les yeux vers sa mère et attend, l'air piteux.

— Allez ! Va te prendre quelque chose, mon petit gourmand.

— Oh ! Merci, maman !

Tu es la meilleure maman au monde ! Ben, peut-être pas la meilleure numéro un... parce que la mère de Jonathan, elle lui permet de manger des frites toutes les fins de semaine. Et il y a la mère de Jérémie qui lui fait des biscuits aux pépites de chocolat pour ses collations, à l'école.

Léo se tait et compte sur ses doigts.

— Disons que tu es la troisième meilleure maman au monde. C'est correct pour toi ?

— Oui, ça me va, ricane Anaïs. Je devrais survivre à ça.

— Alors ? Je peux choisir ce que je veux ? Pour vrai ? Je peux prendre le plus gros des suçons ? La plus longue des réglisses ?

— Pourquoi tu n’engloutirais pas le magasin en entier, un coup parti ? marmonne Lolly pour elle-même.

L'ennui, c'est que sa mère l'a entendue et qu'elle n'a pas l'air DU TOUT contente de l'attitude de sa fille.

Le cœur de Lolly bondit dans sa poitrine. Elle va être punie, c'est certain ! Devant sa best, en plus ! Comme c'est gênant !

— J'ai un petit service à te demander, ma puce.

Un service ?
Quoi ?
Disparaître ?
Arrêter de dire
n'importe quoi ?
Bonne idée !

— Tu veux bien
aller chercher les
paniers de Saint-
Valentin dans
le grenier ?

— Aucun
problème !

C'est exactement ce dont elle a besoin ! Une petite pause de nettoyage ! Sa mère a tout à fait compris que ça lui ferait du bien de s'éloigner.

— Tu viens avec moi, Zoé ?

— Dans le grenier ? Avec la poussière et les rats ? Non merci !

— Il y a des rats dans notre maison ? s'étonne Léo.

— Bien sûr que non, mon chéri, le rassure Anaïs.

— Ah. C'est plate ! J'aurais aimé ça en attraper un. Je lui aurais fait un petit lit dans ma chambre.

Anaïs lui fait les gros yeux. Lolly est du même avis que sa mère : pas question d'avoir un rat comme animal de compagnie !

— Ben quoi ! J'aurais pu l'appeler Rat-on Laveur ou Rat-eau !

— Ou Ra-thé, complète Zoé en souriant.

— Raté ? Hé ! Ce n'est pas

un raté, mon rat. Il est très gentil, tu sauras. Même qu'il a une petite tache blanche, juste derrière l'oreille. Ça veut dire qu'il aime les biscuits aux bananes...

Lolly en a assez entendu. Elle n'a pas envie de passer les prochaines minutes à écouter son frère lui donner les détails de son rat QUI N'EXISTE MÊME PAS.

Elle se lève. Allez hop ! Direction le grenier !

— Tu ne changes pas d'idée ? demande-t-elle à son amie.

— Ça va, je reste ici. De toute façon, je vais bientôt m'en aller.

— Comme tu veux.

Lolly quitte la boutique

et s’arrête devant la porte de la garde-robe. Tant qu’à faire une pause (une looonnngguue pause), aussi bien avoir de la musique à écouter. Elle récupère son iPod dans la poche de son manteau et monte l’escalier qui mène au deuxième étage.

La trappe qui permet d’aller au grenier se trouve dans le corridor. Lolly s’empare de la lampe de

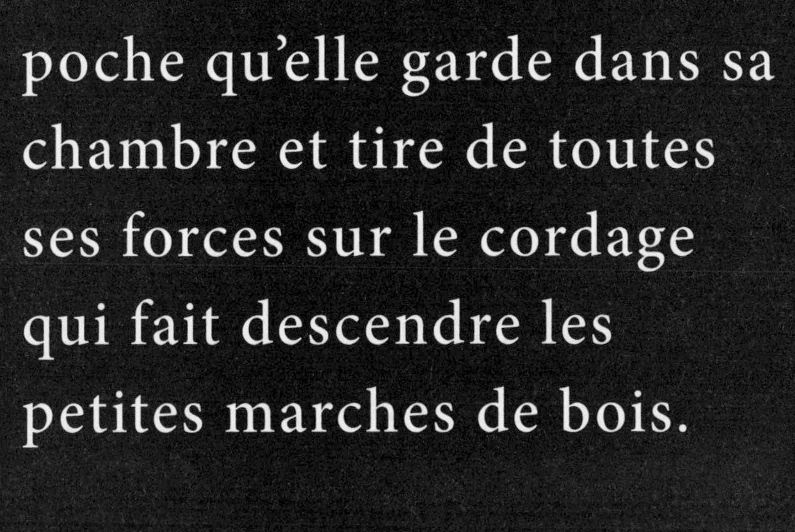

poche qu'elle garde dans sa chambre et tire de toutes ses forces sur le cordage qui fait descendre les petites marches de bois.

Lentement, elle les grimpe une à une.

CRIC ! CRAC ! CRIC ! CRAC !

Lolly songe aux rats. Si son frère dit vrai et que le grenier en est rempli, c'est certain qu'ils se sont enfuis en courant ! L'escalier est bien trop bruyant !

Une fois montée, Lolly trouve l'interrupteur et

allume la lumière. Celle-ci n'est pas suffisamment puissante pour éclairer toute la pièce, mais ça ne la dérange pas du tout.

Elle se sent bien.

Elle n'a jamais eu peur de l'obscurité. En fait, elle a toujours aimé les lieux mystérieux (et là, il ne faut pas confondre mystérieux et poussiéreux, parce que la poussière, ça

la fait éternuer).

Et voilà !

Lolly a un plan : trouver les fameux paniers de Saint-Valentin au plus vite et aller ensuite relaxer sur son lit. Oh ! Pas très longtemps ! Elle n’est pas si paresseuse, quand même ! Juste assez pour échapper aux corvées quelques instants de plus.

C’est parti !

Sa mère a l’habitude de ranger les trucs de la boutique tout au fond de la pièce, près des vieux meubles. Lolly passe devant des bacs de vêtements ainsi que des boîtes à souvenirs remplies de dessins, de bricolages et de photos de famille.

Ce n’est pas ce qui l’intéresse.

Elle continue son chemin pas à pas (il y a tellement de choses, ici, qu'elle doit faire attention où elle met les pieds !) et se rend encore plus loin.

---

Dehors, le vent est fort. Lolly l'entend souffler. C'est comme s'il cherchait à entrer lui aussi dans ce grenier plein à craquer.

Lolly frissonne et sourit. Elle ne sait pas pourquoi elle est si heureuse de se trouver là. Ce n’est pas la première fois qu’elle explore cet endroit, pourtant. Qu’est-ce qui est différent, cette fois-ci ?

Une boule de chaleur s’installe dans son ventre.

— C’est étrange, se dit-elle. Vraiment très, très étrange…

Plus elle avance, plus elle se sent attirée.

Par quoi ? Impossible à savoir… mais elle en a la chair de poule. Pas une chair de poule qui fait peur… une chair de poule qui fait du bien.

Est-ce que ça se peut, ça ?

Le vent souffle encore plus fort. Il pénètre par une petite ouverture et fait rouler quelques boules de poussière au sol.

Sauf que quelque chose ne va pas ! Mais pas du tout !

Lolly ouvre grand la bouche. Elle n'en croit pas ses yeux !

# Chapitre 5

Et si la magie existait pour **VRAI ?**

Lolly se cache la bouche avec la main pour s'empêcher de crier de surprise. Ce n'est pas normal !

Au lieu d'être repoussée, la poussière semble être ATTIRÉE par le vent. Comme si un sort avait été jeté...

Lolly sait bien que c'est impossible. La magie n'existe pas (sauf dans les films et les histoires pour enfants, mais ça, c'est différent).

Qu'est-ce qui explique ce phénomène ? Une bourrasque qu'elle n'aurait pas sentie ? Un courant d'air si léger qu'il serait passé presque inaperçu ?

Un mini rikiki tremblement de terre ?

Hum… Difficile à croire !

Lolly décide de suivre la boule de poussière. Elle est trop curieuse pour faire comme si elle n'avait rien vu.

Elle avance lentement et ne la quitte pas des yeux, jusqu'à ce que la boule se faufile sous une armoire

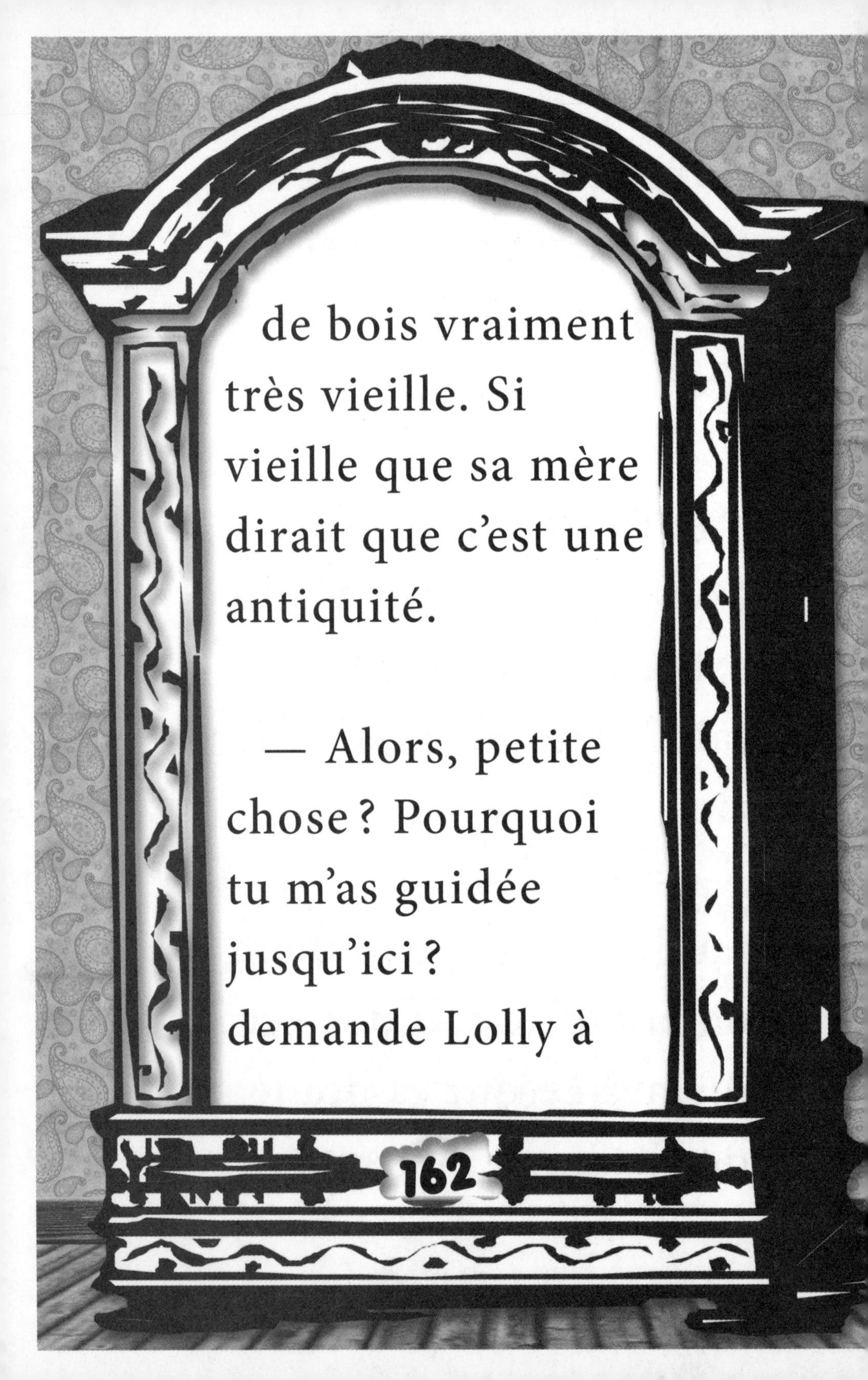

de bois vraiment très vieille. Si vieille que sa mère dirait que c'est une antiquité.

— Alors, petite chose ? Pourquoi tu m'as guidée jusqu'ici ? demande Lolly à voix haute. Tu voulais me montrer ce meuble ? Qu'est-ce qu'il a de si spécial ?

Elle ouvre les deux portes de l'armoire et se fait tout de suite fouetter par une bourrasque plus puissante qu'une tempête. Elle se tient bien fort aux poignées, de peur d'être emportée à l'autre bout de la pièce, et essaie de garder son calme.

Soudain, comme si elle comprenait ce qu'elle devait faire, Lolly crie :

— Je suis Lolly Pop ! Je viens découvrir tes secrets !

Aussitôt, le vent cesse.

Lolly tombe à genoux et replace ses cheveux ébouriffés.

— Ayoye ! Qu'est-ce qui

vient de se passer ? Si ÇA, ce n'est pas de la magie, je me demande bien ce que c'est !

Avant même qu'elle ait retrouvé ses esprits, une vibration la fait sursauter.

— Hein ? Quoi ? Qu'est-ce qu'il y a ?

Elle fouille dans la poche de son pantalon.

— Mon iPod ! Mais bien sûr !

C'est super long ! Qu'est-ce que tu fais ?

Fidèle à son habitude, son amie s'impatiente. Lolly s'empresse de lui répondre :

Je n'ai pas encore trouvé les paniers.

Je suis tannée !

Je redescends bientôt. Attends-moi avant de partir.

Zoé
Je te connais, ça va te prendre des heures !

Lolly
Mais non ! Je me dépêche. Donne-moi deux minutes.

Lolly hésite un instant. Puis, elle se décide à poser la question qui la titille :

C'est quoi, le rapport ?

Je suis curieuse, c'est tout. Tu y crois ou pas ?

Non.

Même pas un tout petit peu ?

Non.

Un mini, mini, mini peu ?

Ben là ! Pourquoi tu me poses la question si tu ne veux rien savoir de ma réponse ? JE-NE-CROIS-PAS-À-LA-MAGIE !

C'est bon ! Pas la peine de te fâcher ! Je me demandais, c'est tout !

Les « magiciens » ont toujours des trucs. C'est pour ça qu'on dit que ce sont des illusionnistes.

Illu quoi ? Où es-tu allée pêcher ce mot ?

Tout le monde sait ça, voyons ! Ils font semblant de réussir des tours étonnants, mais en réalité, ce ne sont que des illusions.

Lolly ne sait pas non plus ce que signifie le mot « illusion », alors elle ne répond pas. Zoé l'a deviné et lui explique :

Tu te souviens, quand le magicien est venu présenter son spectacle à l'école, l'année dernière ?

Je ne vois pas comment je pourrais oublier ! Il a scié son assistante en deux ! C'était dégoûtant ! Thomas a même vomi sur le plancher du gymnase !

Ça, c'est parce qu'il avait la gastro, Lolly ! Tout le monde sait qu'il ne la sciait pas VRAIMENT en deux.

Ah. 

Tout le monde sauf toi, on dirait...

Non, non, j'avais compris, moi aussi. Je blaguais... C'était pour rire...

Bon, je te laisse. Ta mère trouve ça trop bizarre qu'on se texte alors qu'il n'y a que deux étages qui nous séparent. Je rentre chez moi. Ton frère n'arrête pas de jacasser, je n'en peux plus. C'est une vraie pie !

Lolly éclate de rire. Elle n'en veut pas à son amie. À sa place, elle ferait la même chose. En plus, si Zoé s'en va, elle aura tout son temps pour explorer cette fameuse armoire aux pouvoirs mystérieux. Elle adore sa meilleure amie, mais elle a le sentiment que, pour une fois, elle doit garder ce secret juste pour elle.

On se voit demain ?

OK. Écris-moi dès que tu te lèves.

Parfait !

C'est leur petite habitude. À l'instant même où Lolly se réveille, elle texte son amie pour lui dire qu'elle est debout. Zoé est une super lève-tôt, ce n'est donc pas un problème. Lolly, quant à elle, peut rester des heures à paresser au lit. À dormir. À se réveiller. À se rendormir. À se re-réveiller. Ainsi de suite...

Lolly range son iPod dans sa poche et se tourne vers la fameuse armoire.

— À nous deux !

Son cœur bat à toute vitesse.

Elle inspire et expire en douceur.

**Pppffffff ! Pppffffff !**

Elle avale sa salive.

GLOUP !

Allez ! Un peu de courage !

Il y a trois tiroirs à l'intérieur de l'armoire. Lolly ouvre le premier. Rien.

ZUT !

Elle regarde à l'intérieur du deuxième. Rien non plus.

Puis, les doigts tremblants d'excitation, elle s'empare du troisième. Elle sait – ELLE SENT – qu'il y a quelque chose à l'intérieur. Quelque chose de puissant. Qu'est-ce que ça peut bien être ?

**Une boule de cristal ?**

Non, ça n'existe même pas, les vraies boules de cristal.

La clé d’un coffre rempli d’or et de bijoux ?

Oh ! Ce serait trop parfait !

Un miroir magique ? Un tapis volant ? Un lutin ? De la crinière de licorne ? Une épée ensorcelée ?

— Relaxe ! se dit Lolly. Tu te crois où, là ? Dans une forêt enchantée ? Reviens un peu sur Terre.

LA TERRE APPELLE LA LUNE !

YOUHOU ! IL Y A QUELQU'UN ?

Lolly tend la main pour tirer le fameux dernier-tiroir-super-mystérieux-qui-cache-un-objet-super-mystérieux-lui-aussi, mais

fige quand elle comprend ce qui se passe.

## IL S'OUVRE TOUT SEUL !

— Waaahhh !

Elle sait qu'elle devrait reculer ou même s'enfuir en courant (c'est ce que toute fille normale aurait fait dans les circonstances), mais sa curiosité est si grande qu'elle ne bouge pas d'un poil (ni d'une

poussière, d'ailleurs !).

Ce qu'elle découvre la laisse sans voix.

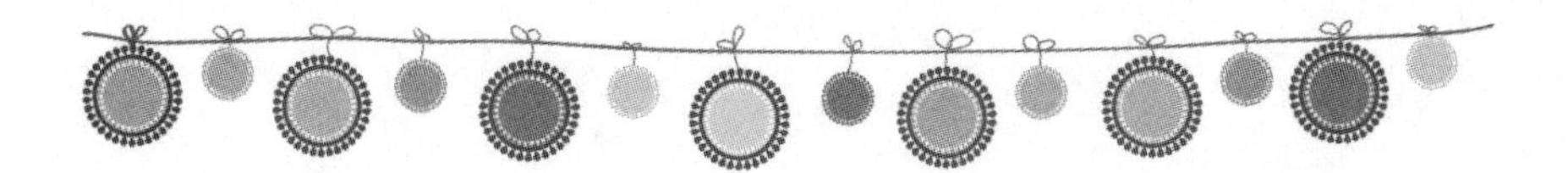

# Chapitre 6

## L'étrange message de grand-maman Pop

d'une collection d'objets.

Le vent se calme. C'est le silence complet.

Lolly se penche au-dessus du caisson et en observe le contenu.

À l'intérieur, il y a une centaine de petites fioles multicolores, des boîtiers de métal, des sachets

d’herbes séchées et même un vieux chaudron qui ressemble à ceux qu’on voit dans les films de sorcières.

« Qu’est-ce que c’est que tout ce matériel ? » se demande-t-elle, intriguée.

Elle tend la main pour attraper une fiole, mais arrête son geste quand elle aperçoit un cahier usé par le temps.

Enfin quelque chose qui lui donnera des explications !

Lolly va chercher sa lampe de poche et s'assoit sur une chaise berçante, le petit objet blotti contre son cœur.

Peu importe si la chaise fait du bruit. Ce n'est pas ce qui l'intéresse pour l'instant. Elle caresse la couverture en cuir du livre et l'ouvre avec délicatesse.

Lolly sursaute en lisant les mots de la première page.

« Un, deux, trois… Dans ton monde, emmène-moi. Entre les mains de Lolly, je libère toute ma magie. »

C'est une blague ?

Ces mots ! Elle vient à peine de les prononcer !

Comment est-ce possible ?

Pourquoi sont-ils sortis de sa bouche ? Et pourquoi... POURQUOI son nom est-il inscrit à l'intérieur de ce livre ?

Lolly se pose tellement de questions qu'elle en a mal à la tête. La meilleure façon d'en savoir plus, c'est de parcourir les autres pages.

POTION
DEMANDER À TON PÈRE : QUEL ÂGE AVAIS-TU, PAPA, LORSQUE TU AVAIS DIX ANS ?
RACONTER UNE BLAGUE À LA LUNE.
JUS DE RONDELLES DE HOCKEY
2 GOUTTES
DIRE «JE T'AIME» À TON SAC À DOS.
UN TRUC NASAL FRAIS.
KETCHUP
DANSER LA LAMBADA SUR UN VIEUX SANDWICH AU JAMBON.
2+2=22

SALUT, LOLLY !

Tu as découvert mon précieux carnet ! Comment as-tu trouvé ta « chasse au trésor » ? Pas mal, non? J'ai eu beaucoup de plaisir à la préparer pour toi.

Bon, passons aux choses sérieuses...

Mais non ! Je blague ! Laissons de côté ce qui est trop sérieux !

Le carnet que tu tiens entre les mains te fera hurler de rire, si tu arrives à bien l'utiliser. Il renferme

tous les secrets d'une vie.
MA VIE.

Crois-moi quand je te dis qu'elle n'était pas banale ! Loin de là !

J'aimerais pouvoir sortir de ma tombe et rigoler avec toi, mais, malheureusement, je suis en train de me décomposer dans mon cercueil. En plus, je suis sûrement couverte de vers

et de larves, à l'heure qu'il est. (Peut-être même que je suis déjà un squelette!) Je ne suis pas sûre que tes parents apprécieraient.

Quoique… Ça pourrait être comique!

Ne t'en fais pas pour moi, je suis très bien là où je suis. Je m'entends à merveille avec mes voisins. Madame Macchabée sent la vieille

chaussette et monsieur Santerre-Vivant passe ses nuits à compter les zombies pour s'endormir, mais, à part ça, tout va comme sur des roulettes !

Allez, je te laisse explorer...

Oh ! J'oubliais une chose avant de te quitter. Voici les règles que tu dois à tout prix respecter. Elles sont plus importantes que tout.

**Règle numéro 1 :**

Amuse-toi comme une folle !

**Règle numéro 2 :**

Il n’y a aucune autre règle. Hi, hi, hi !

Je te laisse, petite coquine !

GRAND-MAMAN POP
XXX

Lolly est sous le choc.

Sa grand-mère lui a écrit avant de mourir. Avant même qu'elle vienne au monde !

Comment pouvait-elle connaître le nom qu'elle porterait ? Comment savait-elle que son cahier lui tomberait entre les mains ? Comment…

Misère ! Que de questions sans réponses !

Lolly fait défiler les feuilles entre ses doigts. Chacune d'entre elles est remplie d'une écriture ronde et colorée. Toutefois, il y a tellement de mots rayés, de griffonnages et de notes dans les marges qu'il est presque impossible de décoder tout ça sans plisser les yeux.

— Fèves rouges de l'Alaska ? marmonne Lolly, en lisant une liste d'ingrédients. Sucre salé de la Nouvelle-Guinée ? Qu'est-ce que c'est que tout ça ? On dirait... On dirait des recettes...

Elle tourne une autre page.

LA RÉGLISSE QUI RAPETISSE. COMMENT LA FABRIQUER EN SOIXANTE-QUINZE ÉTAPES FACILES.

— **Fabuleux !**

Et une autre page…

DES BONBONS À LA MENTHE POUR UNE PEAU ÉCLATANTE.

Et une autre…

LA SUCETTE QUI FAIT DES PETS
LE BISCUIT QUI FAIT PIPI
LE CHOCOLAT QUI FAIT CA…

— Lolly ! Tu es là ?

— Oh ! C'est maman qui m'appelle ! s'exclame Lolly en fermant aussitôt son précieux livre. OUI, maman ! Je suis encore là-haut.

— Qu'est-ce que tu fais ? On va bientôt manger.

Déjà ? Le temps a filé à toute vitesse !

— Je descends ! Donne-moi deux minutes.

— As-tu les paniers ?

— Oui, oui, je les ai trouvés.

Lolly se lève d'un bond, cache son livre sous son t-shirt et referme l'armoire sur tous les trésors qu'elle contient.

Puis, elle s'empare des paniers de Saint-Valentin (ils étaient juste là, sur une tablette) et descend du grenier.

Elle doit avoir un drôle d'air, parce que sa mère la regarde en fronçant les sourcils quand elle entre dans la salle à manger.

— Est-ce que tout va bien, ma puce ?

— Super bien.

— Pourquoi tu es toute rouge, alors ? lui demande Léo, déjà assis à table.

— Parce que j'ai chaud.

— On dirait que tu ne dis pas la vérité. Moi, en tout cas, mes joues rougissent quand je ne dis pas la vérité. Je n'y peux rien, c'est comme ça. Tu vois, tout à l'heure, maman m'a demandé si j'avais des gommes sous ma langue. J'ai dit non. Eh bien, mes joues ont tout de suite rougi !

Léo ouvre grand les yeux et se cache la bouche avec la main.

— Je n'aurais pas dû dire ça…

Pendant que ses parents expliquent (encore une fois !) à son jeune frère à quel point il est important de dire la vérité, Lolly élabore un plan complètement fou dans sa tête.

Un plan qu'elle mettra en application dès la nuit tombée.

# chapitre 7

**Lolly est prête à tout pour essayer une recette secrète... Elle va même récupérer de l'eau dans la toilette !**

Il est minuit. Tout le monde dort dans la maison.

Enfin… presque…

Lolly a les yeux grands ouverts dans son lit. Couchée sur le dos, elle examine le livre de sa grand-mère depuis des heures. Il y a tellement d'informations, tellement de notes, d'idées et de recettes qu'elle ne sait plus

où donner de la tête. Il lui faudra des semaines pour tout explorer !

Il y a cependant une page qui a attiré son attention…

Une page toute spéciale, joliment décorée, qu'elle a trop hâte d'essayer.

Lolly tend l'oreille. C'est le bon moment !

Son père a mis un temps

fou à aller se coucher ! Il a écouté la partie de hockey à la télé, il a pris une douche, il a englouti un bol de céréales, il a lu dans son lit et finalement, FINALEMENT, il a éteint sa lampe de chevet.

Puis, il a fallu qu'il s'endorme.

Mais là, ça y est ! Elle ne peut pas se tromper. Dès que son père commence à ronfler, rien ne peut le réveiller. Ni le téléphone, ni les cauchemars de Léo, pas même une méga explosion internationale !

Lolly se lève, enfile ses pantoufles et sort de sa chambre sur la pointe des pieds. Son véritable défi consiste à ouvrir la trappe qui mène au grenier et

monter les marches sans que sa mère s'en aperçoive.

Elle a l'oreille plus fine qu'un poil de carotte, alors ça risque d'être un problème.

Lolly attrape la corde et tire en douceur.

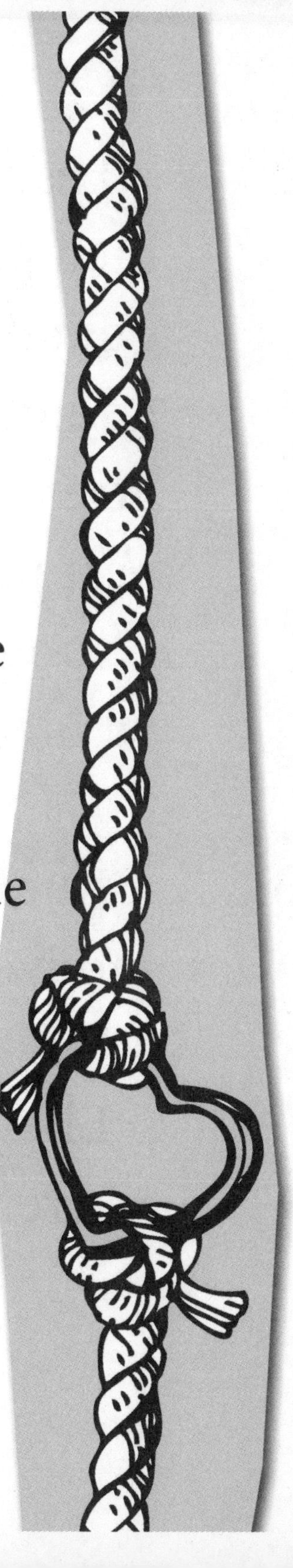

**SCOOOOUUUICH!**

Aïe, aïe, aïe!

Les petits bruits semblent bien pires en pleine nuit, quand tout est calme. Lolly attend en silence. Elle doit être certaine que sa mère ne s'est pas jetée en bas de son lit pour vérifier que tout va bien.

Aucun son. Aucun mouvement. Parfait !

Elle pose un pied sur la première marche.

Un second.

Cric !

Son cœur bat si fort qu'elle a l'impression qu'il pourrait réveiller la Terre entière !

Encore une marche.

Ça ne va pas du tout ! Elle est aussi discrète qu'un autobus de perroquets !

Elle change de stratégie et grimpe au grenier le plus vite possible, comme une petite souris.

Ouf ! Elle est rendue et personne ne semble l'avoir entendue. Elle a le champ libre !

Comme c’est excitant !

Sans perdre une seconde, Lolly avance jusqu’à l’armoire magique et en ouvre les portes. Fiou ! Le caisson est toujours là ! Elle avait peur qu’il ait disparu.

Elle saisit son carnet caché derrière son dos et l’ouvre à la page qu’elle a soigneusement choisie. Le nom de la recette est un peu

surprenant : « Léon sans ses caleçons », mais ça n'a pas d'importance. Ce sont les petits chats qui lui ont donné le goût de l'essayer.

Elle connaît les directives par cœur tellement elle les a lues souvent.

LÉON SANS SES CALEÇONS
INGRÉDIENTS
POUR FABRIQUER
12 BONBONS :
– DEMI-MOUSTACHE DE
SOURIS À TROIS PATTES
(SI LA SOURIS EST JAUNE,
C'EST ENCORE MIEUX).
– 2 GOUTTES DE JUS DE
JUJUBE JUTEUX À LA
FRAMBOISE.

– 5 MORCEAUX DE RÉGLISSE NOIRE SANS SUCRE (ILS DOIVENT MESURER 1 CM DE LARGE SUR 2 CM DE LONG ; PAS PLUS, SINON LES RÉSULTATS POURRAIENT ÊTRE DÉSASTREUX !).

– 20 ML D'EAU DE LA TOILETTE.

Tout à coup, Lolly est nerveuse. La liste est si bizarre qu'elle n'est plus certaine de vouloir continuer.

En plus, l'écriture est presque illisible. Et si elle avait fait une erreur ?

Doit-elle se procurer la moustache d'une « souris à trois pattes » ou d'une « souris à trois nattes » ?

Elle n'a jamais vu de souris à trois pattes… mais elle n'a jamais vu de souris avec des tresses non plus !

Qu'est-ce qui se passera si elle commet une erreur ? Est-ce dangereux ? Peut-elle mourir ? Perdre un bras ? Se transformer en flaque d'eau ?

— Oh ! Du calme ! se dit-elle pour se rassurer. C'est le cahier de grand-maman Pop. Il ne peut rien m'arriver de mal, quand même ! Elle ne voulait pas me tuer, quand même ! Elle… elle devait m'aimer, quand même !

Sauf qu'une petite voix dans sa tête n'est pas de son avis : « Tu n'en sais rien, tu n'étais pas née. Peut-être qu'elle voulait que tu la rejoignes dans sa tombe ! Peut-être qu'elle voulait te présenter son monsieur qui compte les zombis et son amie qui pue la vieille chaussette ! »

— Ça suffit !

Lolly se bouche les oreilles avec les mains pour faire taire la petite voix.

Voilà ! Ça marche ! Elle est partie !

Retrouvant son courage, elle fouille dans sa poche et en sort des jujubes et des réglisses. Il lui a fallu faire preuve de créativité pour convaincre sa mère qu'elle

devait retourner dans la confiserie, alors que tout était fermé.

« J'ai laissé mon iPod sur la tablette, dans l'entrée. J'en ai **ABSOLUMENT** besoin ! Zoé doit m'envoyer un message hyper important. Allez, maman ! J'y vais et je reviens tout de suite, c'est promis ! »

Puis, un peu plus tard dans la soirée, elle est allée

chercher un petit contenant de plastique à la cuisine et a fait la chose la plus dégueu au monde : récupérer une petite quantité d'eau de la toilette !

**Oh ! Ouache !**

Bon ! Il ne lui manque qu'un objet : la demi-moustache de souris jaune. Lolly explore l'intérieur du caisson à la recherche de cet ingrédient étrange et réussit

à le trouver assez facilement. En plus, il s'agit bien d'une souris à trois PATTES, c'est écrit sur le flacon.

Ouf ! Elle ne va pas se transformer en flaque d'eau !

— OK. Tout est rassemblé, chuchote-t-elle. Qu'est-ce que je dois faire, maintenant ?

Elle consulte la recette et lit les instructions avec soin. Elle ne veut surtout pas se tromper.

1 — Versez l'eau de la toilette dans votre chaudron.

Lolly mesure 20 ml (**beurk!**) qu'elle laisse tomber à l'intérieur de la marmite.

2 — Soufflez trois fois sans avaler votre salive.

Lolly s'exécute.

3 — Incorporez le bout de moustache en imitant le cri de la souris. Plus le cri est fort, plus la mixture sera efficace.

Pas question de crier, elle risque de réveiller tout le monde !

— Hi, hi, hi…, marmonne-t-elle en déposant l’ingrédient.

Heureusement que personne ne peut la voir ! Elle a l’air trop bizarre !

— Mélangez en utilisant votre auriculaire droit.

Oh non ! C’est lequel, l’auriculaire, déjà ?

Lolly ferme les yeux et essaie de se rappeler les paroles de la comptine qu'elle a apprise quand elle était petite… J'ai un petit pouce… un index aussi… un majeur, un annulaire, un petit auriculaire, en tout j'ai cinq doigts.

BINGO ! C'est le petit doigt !

Elle le plonge dans le chaudron et agite doucement le mélange.

— Je ne dois pas penser à l’eau de la toilette ! (haut-le-cœur) Je ne dois pas penser à l’eau de la toilette ! (haut-le-cœur) Je ne dois pas penser à l’eau de la toilette !

Burp !

Ouf ! Si ça continue, elle va vomir.

Pressée de poursuivre, elle passe à l’étape suivante.

5 — Déposez les deux gouttes de jus de jujube juteux à la framboise et ajoutez sans attendre les morceaux de réglisse sans sucre. Laissez reposer trente-quatre secondes.

Chose certaine, les instructions ne manquent pas de précision. Lolly les suit à la lettre et observe le résultat. Une pâte noire et visqueuse se change sous ses yeux en bonbons en

# Chapitre 8

## Ho ! Ho ! Ho !

— C'est dégoûtant ! lâche-t-elle en grimaçant.

— Je ne peux pas croire que j'ai avalé ça !

En plus, il ne se passe rien de rien du tout ! Elle examine ses mains, ses pieds, rien n'a changé.

— À quoi je m'attendais, aussi ? C'est de l'arnaque,

ce truc ! Zoé a raison, la magie, ça n'existe pas.

Elle s'empare du petit cahier et inspecte la page avec minutie. Soudain, un détail attire son attention. Tout en bas, juste à côté d'un dessin de chaton tout mignon, une phrase est écrite en petites lettres.

« Oups ! L'eau de la toilette n'était pas utile à la préparation de ce bonbon ! Je l'ai ajoutée pour rigoler ! Hi, hi, hi ! »

Tu parles d'une blague !

Oh ! Qu'est-ce qui se passe ? Lolly sent qu'elle vient de grandir de quelques centimètres.

C'est invraisemblable !

Oh ! Encore une fois ! Mais qu'est-ce qui se passe ?

Non seulement elle est aussi grande que son père, mais en plus une énorme bosse prend forme sur son ventre.

Ses bras grossissent…

Ses mains se couvrent de poils…

Cette fois, Lolly est morte de trouille ! Qu'est-ce qui lui a pris d'avaler ce machin ?

Elle porte sa main à son visage et écarquille les yeux.

De la barbe ! Elle a de la barbe !

Au secours ! Qu'est-ce qui lui arrive ?

Elle a l'impression que…
Non ! C'est impossible !
Mais oui, elle a bel et bien l'impression qu'elle est en train de devenir un homme !

Il lui vient l'idée de jeter un œil à l'intérieur de son pantalon pour en avoir le cœur net, mais…

Elle secoue la tête.

Pas question de voir ÇA !
Si elle se souvient bien, la recette disait : « Léon sans ses caleçons » ! **Beurk !**

Trouver un miroir est une meilleure idée. Lolly franchit les quelques pas qui la séparent d'un vieux miroir sur pied, se campe droit devant et s'étouffe aussitôt avec sa salive.

**Keuf !**
**Keuf !**
**Keuf !**

Incroyable ! Elle s'est transformée en père Noël ! Elle a sa barbe blanche, son gros nez et ses lunettes. Elle porte même son costume et sa grosse poche remplie de cadeaux.

Lolly essaie de reprendre son souffle, mais des sons étonnants sortent de sa bouche.

— HO ! HO ! HO ! HO ! HO ! HO !

Elle ne peut même plus parler ! Tout ce qu'elle arrive à dire, c'est :

— HO ! HO ! HO ! HO ! HO ! HO !

« Qu'est-ce qui me prend ? pense-t-elle. Je ne peux pas être le père Noël ! Je suis une enfant ! Pas un vieillard qui habite au pôle Nord ! En plus, si je continue à hurler comme ça, je vais finir par réveiller tout le monde ! »

Lolly Pop-père Noël se dit qu'elle doit trouver une solution, mais elle n'a plus aucun contrôle sur son corps.

Sans même le vouloir, elle s'assoit dans un vieux bain à moitié rouillé et dépose le sac de cadeaux à ses côtés. Puis, en regardant au loin, elle crie :

— Allez, Tornade ! Allez, Danseur ! Allez, Furie et Fringant ! Allons-y, Comète !

Allons-y, Cupidon ! Allons-y, Tonnerre et Éclair !

« Ça suffit ! Je dois me taire !
Je-ne-suis-pas-le-père-Noël !
Je-ne-suis-pas-le-père-Noël !
Je ne connais même pas le nom de ses rennes pour vrai ! »

Mais son corps et son cerveau ne sont pas du même avis. Même si elle le souhaite de toutes ses forces, Lolly n'arrive pas à contrôler ses gestes. Elle passe donc les heures suivantes à guider son traîneau

imaginaire aux quatre coins du globe pour distribuer des cadeaux imaginaires à des enfants imaginaires.

Puis, aux petites heures du matin, alors que la lumière du jour pénètre dans le grenier, elle finit par s'endormir, complètement épuisée.

# Chapitre 9

Cette première expérience est réussie. Maintenant, les choses sérieuses peuvent commencer !

— Lolly ! Tu es là-haut ?

Lolly se réveille brusquement.

« Oh non ! C'est ma mère ! »

Lolly sait qu'elle ne doit surtout pas monter au grenier ! Sa mère ferait une attaque d'infarctus de crise cardiaque, ou un truc du genre, si elle découvrait que sa fille est aussi vieille et dodue que l'homme le plus connu du monde entier !

— Oui, je suis là, maman !

— Je te rejoins.

— SURTOUT PAS ! Je veux dire… ce n'est pas nécessaire. J'arrive dans deux minutes.

Trop tard ! Elle grimpe déjà les marches une à une.

Lolly court se cacher derrière une pile de boîtes de carton.

— Qu'est-ce que tu fais dans le grenier, ma puce ?

— Bah ! Rien d'important. J'avais envie de fouiller dans mes bacs de souvenirs, c'est tout.

Lolly lâche un hoquet de surprise.

— Mais attends…

— J'arrive à parler normalement…

— J'ai une jolie voix… Je… ( Elle touche son visage. ) J'ai la peau douce comme avant…

Elle sort de sa cachette et file s'inspecter dans le miroir.

— J'hallucine !

Elle est redevenue elle-même ! Une jeune fille normale !

— Est-ce que tu te sens bien ? s'inquiète Anaïs.

— Tellement ! Oh oui ! Tellement **TROP** bien !

— Tu es fiévreuse ? Tu as mal au cœur ?

— Non, non, tout va comme sur des roulettes ! Je te jure !

— Bon, d'accord. Ton père

prépare des omelettes. Tu viens déjeuner avec nous ?

— Oui, je range mon bazar et je descends.

— OK.

Anaïs n'est pas rassurée (sa fille agit bizarrement, il n'y a pas à dire !), mais disparaît quand même en bas des marches.

Ouf ! On peut dire qu'elle l'a échappé belle ! Toujours face à son reflet, Lolly inspecte

chaque détail de son anatomie. Ses mains, sa taille, ses jambes, son visage… tout est redevenu comme avant.

Plus aucune trace de père Noël ! Yé !

La tête remplie de questions, elle récupère son précieux carnet et l'examine une fois de plus. C'est à n'y rien comprendre ! Pourquoi la page est-elle couverte de mignons petits minous, alors que la recette n'a rien à voir avec les chats ? Pourquoi grand-maman

Pop n'a-t-elle pas précisé les effets étranges provoqués par ce mélange ? Comment est-elle redevenue elle-même ?

Et surtout, pourquoi l'a-t-elle choisie, ELLE, pour hériter de ce petit trésor aux mille et un secrets ?

Impossible à savoir. Mais Lolly, en regardant ces feuilles colorées, a une idée en tête : confectionner des tonnes et des tonnes de bonbons magiques !

Elle va en fabriquer plein !

Des petits, des gros ! Des verts, des bleus, des jaunes ! Elle veut essayer toutes les recettes ! Reprendre le travail de grand-maman Pop et faire plein d'expériences !

Ça risque d'être vraiment amusant !

Un message vient de rentrer sur son iPod.

— Zut ! J'ai oublié d'écrire à Zoé !

Tu es debout ?

Je me lève à l'instant.

Lolly n'aime pas mentir à sa best, mais elle n'est pas tout à fait prête à lui raconter les folies qu'elle a vécues pendant la nuit. Elle a bien le droit d'avoir ses petits secrets, non ?

Paresseuse !

Hyperactive !

Qu'est-ce
que tu fais
aujourd'hui ?

Je dois encore aider ma mère à la boutique. Et toi ?

J'ai une partie de basket en début d'après-midi.

On se reparle à ton retour ?

Pas de problème ! À +

À +, et bonne chance !

On va gagner, t'inquiète. La chance n'a rien à

voir là-dedans !

Lolly éteint son iPod, range ses affaires avec soin et descend rejoindre sa famille dans la salle à manger.

La journée est looonnngue !

Après un déjeuner interminable et une matinée à ouvrir des caisses et des caisses de bonbons de Saint-Valentin, Lolly s'impatiente et soupire toutes les deux minutes.

— Qu'est-ce qui ne va pas, ma puce ? Je croyais que tu serais contente de m'aider,

ce matin. Le pire du travail est fait, tu sais. On peut enfin laisser aller notre créativité.

En temps normal, elle aurait été émerveillée devant un tel choix de couleurs et de saveurs. L'ennui, c'est que sa tête est ailleurs. Elle n'arrive pas à penser à autre chose qu'à son projet.

Une stratégie est en train de prendre forme dans son esprit...

Premièrement, il est hors de question qu'elle se rende au

grenier toutes les nuits. Elle va apporter son matériel dans sa chambre et profiter de ses temps libres pour expérimenter. (Elle est même prête à se lever plus tôt s'il le faut !)

Ensuite, elle doit trouver quelqu'un sur qui tester le résultat de ses mixtures. Quelqu'un de plus… de moins…

— Hé, maman ! Pourquoi Régis est caché dans cette boîte avec des chemises rouges ? demande Léo en lisant

l'étiquette d'une caisse de bonbons.

Lolly sourit à pleines dents. Oui ! Son petit frère sera parfait !

— Régis ? s'étonne Anaïs. Ton oncle ?

— Ben oui, franchement ! répond-il, comme si c'était la chose la plus évidente qui soit !

— Hein ? Mais de quoi tu parles, Léo ?

— Régis est là-dedans ! insiste-t-il en pointant une toute petite boîte. Avec des chemises rouges ! On devrait le faire sortir, il va manquer d'air si ça continue !

— Il ne peut pas être là-dedans, mon chéri. C'est beaucoup trop petit.

— Mais oui, c'est écrit, ici.

Curieuse, Lolly s'approche et lit l'étiquette :

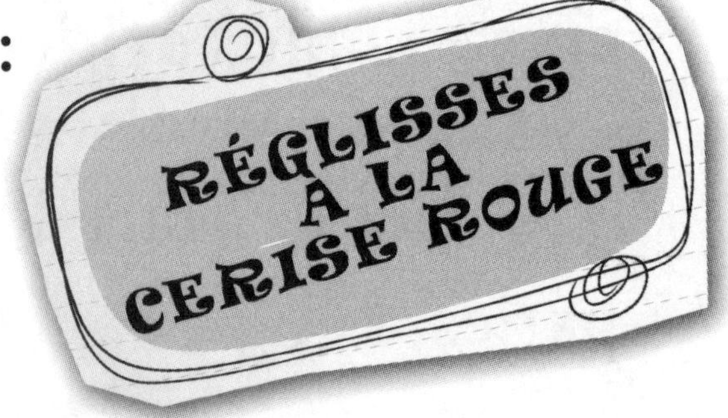

Elle éclate aussitôt de rire.

— Quoi ?

— Tu n'as pas bien lu !
Ce sont des réglisses, pas Régis !
Et ici, c'est écrit «cerises
rouges », pas « chemises
rouges » !

Léo fait la moue.

— Ce n'est pas ma faute !
Je suis juste en première année.
C'est normal que je me trompe.

— Tu es trop drôle, Mini Pop !

— Arrête de m'appeler comme ça ! Je ne suis pas Mini !

— OK. Je veux bien arrêter de t'appeler Mini Pop, mais toi, en échange, tu dois arrêter de prendre des bonbons sans permission.

— Je n'ai rien pris, aujourd'hui.

— Ah oui ? Fais voir tes poches.

Léo les retourne une à une. Elles sont vides.

— Tes joues ?

Il ouvre grand la bouche et dit :

**Aaaahhhh...**

— Humm, réfléchit Lolly. Je dois avoir oublié quelque chose…

Elle le scrute de la tête aux pieds et pose son regard sur ses chaussettes. Elles sont toutes bombées. Léo écarquille les yeux. Il est démasqué.

En temps normal, Lolly l'aurait dit à sa mère. Mais pour l'instant, elle a envie d'être gentille avec son petit frère (peut-être parce qu'elle sait ce qu'elle va lui faire subir).

— C'est bon, annonce-t-elle enfin. Tu as raison, je ne t'appellerai plus Mini Pop. Pour aujourd'hui, en tout cas.

Léo est si surpris qu'il file à toute vitesse.

Il ne voudrait surtout pas que sa sœur change d'idée.

— Tu peux y aller, toi aussi, propose la maman de Lolly. Tu n'es pas obligée de m'aider.

— Absolument. Je vois bien que tu as la tête ailleurs. Allez, va t'amuser.

— Merci, maman !

# Chapitre 10

## PETITE BÊTE GRIFFUE, GROSSE BÊTE POILUE !

— … Ajouter trois grammes de poudre de lait de scorpion… Oui, j'ai ça juste ici… Voilà ! Ensuite, je mélange avec la pointe d'un stylo rouge et j'oriente mon chaudron vers le nord. OK. C'est fait. Maintenant, je dois… attends que je lise comme il faut… Je dois chanter l'hymne national du Japon… Quoi ? Mais je ne le connais pas, moi, l'hymne national du Japon ! Qu'est-ce que je fais ?

Cachée au fond de sa garde-

robe, Lolly prépare sa troisième recette de la journée. Elle croit avoir réussi « Animalerie de A à Z »…

(Trop curieuse de savoir ce que ça va donner !)

… mais a éprouvé quelques difficultés avec les ingrédients demandés pour réaliser le mélange « POUET! POUET! ».

(Non, mais franchement ! Comment pourrait-elle se procurer les sous-vêtements d'un joueur de hockey

professionnel ? Ceux de Léo devront suffire.)

Bien décidée à réaliser avec succès la dernière recette (intitulée « Et patati, et tralala ! »), elle choisit de s'appliquer, même si, manifestement, elle ne connaît pas l'hymne national du Japon.

— Je vais chanter celui du Canada. C'est le seul que je connaisse, de toute façon. Bon, c'est parti. « Ô Canada ! Terre de nos aïeux. Ton front est ceint

de fleurons glorieux ! Car ton bras sait porter l'épée, il sait porter la croix… » Je me demande si c'est suffisant, je n'ai jamais appris la suite !

Lolly replonge les yeux dans son livre et lit les dernières instructions :

« Normalement, votre mélange devrait changer de couleur. Une teinte bleutée indique que vous avez oublié une étape importante. Jetez tout et recommencez, au risque de vous empoisonner. »

— Aïe ! C'est du sérieux !

« Par contre, si la mixture est rouge, c'est signe que vous avez réussi. Bravo ! Très peu de gens parviennent à chanter en japonais. »

— Yé ! J'ai la bonne couleur. C'est logique, le Japon et le Canada ont tous les deux un drapeau avec du rouge !

Bien fière des résultats obtenus (et surtout, très excitée à l'idée de pouvoir enfin tester ses bonbons), elle décide que le

moment est venu d'informer Zoé.

Ramène tes fesses chez moi au plus vite !

Même pas un petit « Salut » avant de me donner des ordres ?

Pas le temps !

Oui, on a gagné la partie, c'est gentil de demander !
J'ai super bien joué !

Tu me raconteras ça plus tard !

Houlà !
Tu n'es pas drôle !

Ce n’est pas vrai ! Je peux être très comique, quand je veux. C’est juste que, là, je n’ai pas le temps.

Prouve-le. Écris-moi quelque chose qui va me faire rire.

Ben voyons !
Ça ne se
commande pas,
ces affaires-là !

C'est bien
ce que je
croyais…

J'ai un excellent
sens de
l'humour,
tu sauras !

Ah oui ? Où l'as-tu caché ? À Hawaii, avec les kangourous ?

Il n'y a pas de kangourous à Hawaii ! Qu'est-ce que tu racontes ?

Je sais bien ! Je te testais, c'est tout ! Tu vois, j'arrive à être drôle, moi !

Lolly voudrait bien lui répondre que c'est loin d'être comique, mais elle laisse tomber. Elle a bien trop hâte que son amie se décide à la rejoindre.

Tu as envie de rire ? Viens-t'en ! Tu ne seras pas déçue ! Je te réserve quelque chose d'archi spécial.

Bon. Je suis curieuse. J'arrive !

Quelques minutes plus tard, les deux amies sont assises sur le lit de Lolly.

Zoé regarde sa best comme si elle venait de lui annoncer qu'elle avait embrassé Henri, le plus détestable des garçons de l'école.

C'EST UNE BLAGUE?

— Pas du tout ! Je te le jure ! Je me suis VRAIMENT transformée en père Noël !

— N'importe quoi !

— Tu ne me crois pas ?

— Ben là ! Qui pourrait croire une chose pareille ?

Lolly n'est pas vexée. Elle aurait sûrement la même réaction si les rôles étaient inversés. Pour convaincre Zoé qu'elle dit la vérité, elle lui propose une démonstration.

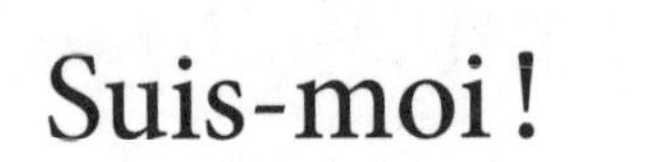


Elles se rendent ensemble au salon. Léo est assis par terre et écoute son émission préférée à

la télévision. Lolly marche à côté de lui, fait tomber un bonbon sur le sol et poursuit sa route jusqu'au divan.

Léo est plus vif que l'éclair. Il attrape le bonbon d'une main et le glisse dans sa bouche ni vu ni connu.

Enfin, c'est ce qu'il croit.

Lolly ne tient plus en place.

— Lequel tu lui as donné ? chuchote Zoé, qui l'a suivie discrètement.

— « Animalerie de A à Z ».

— Il ne se passe rien !

— Sois patiente, ça met un peu de temps à agir.

Au même moment, Léo s'installe à quatre pattes et imite à la perfection le cri de l'âne.

Lolly éclate de rire et se tape dans les mains. Mais Zoé n'est pas contente !

— Tu m'as fait marcher, c'est ça ? Ces bonbons ne sont pas DU TOUT magiques ! Tout le monde peut imiter un âne !

— Tout le monde, vraiment ? Même avec une queue et des sabots ?

Lolly pointe les pattes et le derrière de son frère avec l'index. Zoé lâche un petit cri.

— Hiiii !

Elle n'en revient pas !

— Ne t'en fais pas ! Il ne restera pas comme ça pour toujours.

— Combien… Combien de temps ?

— Euh… En fait, je ne le sais pas. Je crois que je devrais prendre des notes, au cas où…

En contournant la bête pour aller chercher de quoi écrire, Lolly remarque que la queue de Léo rétrécit et que ses sabots disparaissent.

— C’est déjà fini ? Ça n’a pas duré longtemps !

Mais elle se trompe. Le bonbon n’a pas fini de libérer ses pouvoirs. En l’espace de quelques secondes, Léo est étendu sur le plancher et rampe comme un serpent, les bras couverts d’écailles.

— Je n’y crois pas ! Un multipouvoir !

Lolly est folle de joie. Elle se dépêche de noter toutes ses observations sur un bout

de papier. De son côté, Zoé est sous le choc.

— Hé ! Ça va ?

— Non.

— Tu es plus blême qu'un verre de lait.

— Je pense que je vais m'évanouir…

— Tu ne peux pas t'évanouir ! Tu vas manquer le spectacle !

Léo perd ses écailles, se remet à quatre pattes et aboie d'une petite voix.

OUAF ! OUAF !

Un peu comme le fait Guimauve, il s'approche des filles et sort la langue pour leur lécher le visage. Lolly l'arrête juste à temps.

— Ouache ! Même pas en rêve ! Allez, ouste !

Le chien s'éloigne du divan et lève la patte de derrière.

— On dirait qu'il va faire pipi dans le pot de fleurs ! constate Zoé, un faible sourire aux lèvres.

— Quoi ?

Mais il n'a pas le temps de faire quoi que ce soit. La transformation reprend. Cette fois-ci, les deux filles ne peuvent s'empêcher de rigoler. Léo est hilarant.

— Un dindon ! Ton frère est un dindon !

— Il a même le bidule tout mou qui lui pend au cou !

— Si je m'écoutais, je le ferais cuire pour souper !

— Oh ! Je crois qu'il n'est pas d'accord !

Léo se promène de long en large dans le salon en émettant des gloussements incessants.

— Une bonne dinde rôtie !

Le manège se poursuit ainsi pendant un long moment. Léo prend l'apparence d'une foule d'animaux différents et imite tour à tour un éléphant (avec une vraie de vraie trompe !), un flamant tout rose, une grenouille visqueuse, un hamster tout mini, un iguane, et plein d'autres.

Ce n'est qu'après avoir perdu ses rayures de zèbre qu'il retrouve enfin un corps normal.

Épuisé (et un peu perdu), Léo s'allonge sur le divan et tombe aussitôt endormi.

Lolly est comblée ! Cette recette de bonbon est trop géniale !

— Alors ? demande-t-elle à son amie. C'était malade, hein ?

— Je…, hésite Zoé. Je ne suis pas sûre que… C'était… À vrai dire…

— Tu penses arriver à faire une phrase complète d'ici demain ?

— Tu devrais te débarrasser de ce cahier.

— Quoi ? Tu veux rire ? Il est ce que j'ai de plus précieux ! Pas question que je m'en sépare !

— Écoute, Lolly. Je suis ton amie. C'est mon rôle de te conseiller.

— Oui, mais juste quand tu es du même avis que moi. Sinon, tu peux laisser faire.

Lolly essaie de faire des blagues, mais Zoé demeure plus que sérieuse.

— J'ai l'impression que tes expériences peuvent être dangereuses.

— Dangereuses ? N'importe quoi !

— Tu l'as dit toi-même ! Tu ne sais même pas quels sont les effets de ces bonbons.

— C'est pour ça que je dois les tester et prendre des notes. Tu vois ? J'ai presque réussi à écrire tous les noms d'animaux que Léo a mimés. Il ne me manque que celui-là… et celui-là.

Lolly pointe deux espaces vides sur sa feuille.

— Facile ! Ici, il s'est transformé en lama. Il t'a même craché au visage, tu te souviens ? Et là, il nous a montré sa grande queue de paon. C'était magnifique.

— Tu as une sacrée mémoire, dis donc ! C'est allé si vite !

— Je n'ai pas de mérite. Avec le truc des lettres, c'est simple à retenir.

— Quel truc ?

— Ben là ! Pas besoin d'avoir un diplôme d'université pour comprendre ! « Animalerie de A à Z ». Chaque animal représentait une lettre de l'alphabet : âne, boa, chien, dinde…

— Oh… Je n'avais pas fait le lien…

Zoé regarde son amie et pouffe de rire.

— Pour vrai ?

— Pour vrai.

Lolly rigole à son tour.

— Ça démontre bien à quel point j'ai besoin de toi. Ensemble, on va bâtir un super livre et compléter le travail commencé par grand-maman Pop.

Zoé hésite.

— OK. Mais je refuse que tu fasses des tests sur moi sans me demander mon avis.

— Marché conclu !

# Chapitre 11

## « Pouet ! Pouet ! » Un homme à la mer !

Le lendemain, Lolly lance une idée à sa mère.

— Tu sais, maman, il nous reste tout plein de friandises de Noël. Zoé et moi, on pourrait préparer un joli plateau et en offrir aux passants. Il fait si froid, aujourd'hui ! Je suis sûre que ça va leur donner le goût d'entrer se réchauffer dans la boutique.

— C'est très ingénieux ! approuve Anaïs, impressionnée. Je vous nomme responsables toutes les deux.

— Yé ! Merci !

— Vous voulez que je vous aide, mes petites chéries ? propose madame Candy.

Lolly essaie de ne pas rire, quand elle la regarde. Ce matin, elle a l'air d'une vraie pizza. Elle a choisi des boucles d'oreilles en forme de champignons, un collier de tranches de pepperoni, un bandeau couvert de poivrons et d'olives, et un chandail couleur « sauce aux tomates ». Il ne lui manque que le fromage pour qu'on ait envie

de la glisser dans le four pour la faire cuire ! Très original !

— Non, merci ! C'est gentil, madame Candy, mais on veut le faire par nous-mêmes.

— Comme vous voudrez. N'hésitez pas à venir me voir si vous avez besoin d'un coup de main.

Bien installées à une table, Lolly et Zoé s'appliquent à la préparation de leur plateau tout à fait spécial.

— Tu crois que ça va marcher ? demande Zoé, un peu nerveuse.

— C'est certain ! chuchote Lolly. Les gens sont si gourmands ! Nos bonbons vont s'envoler à toute vitesse. Et nos « expériences magiques » aussi... Hi, hi, hi !

— Ça me fait peur, tu sais.

— Je comprends, mais il ne faut pas oublier que c'est grand-maman Pop qui a inventé ces recettes. Mon père dit toujours

qu'elle était une joueuse de tours, quand il était petit. Je suis sûre qu'elle voulait juste rigoler. Elle ne voulait faire de mal à personne.

— Tu as sûrement raison.

— Bon ! C'est terminé ! On y va ?

— On y va !

Lolly et Zoé s'habillent et sortent de la confiserie.

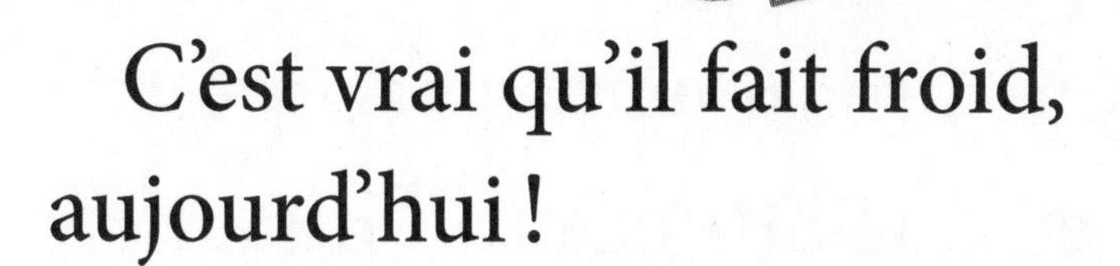

C’est vrai qu’il fait froid, aujourd’hui !

Les filles ne sont dehors que depuis quelques secondes et, déjà, elles ont le bout du nez gelé.

— Un petit bonbon ? lancent-elles aux passants.

— Non, merci.

— Allez, seulement un ! Pour nous faire plaisir !

À force d’insister, la plupart

des gens finissent par accepter. Lolly et Zoé attendent l'instant où l'un d'eux mettra la main sur…

Oh ! Ça y est ! Il se passe quelque chose !

Madame Gauthier, la bouchère, s'approche des filles et choisit un bonbon-test ! Lolly donne un coup de coude à son amie et ouvre grand les yeux. La dame porte le jujube à sa bouche et se tourne pour inspecter la vitrine de la boutique.

— **Hi, hi, hi !** Elle ne sait pas ce qui l’attend !

— Nous non plus, d’ailleurs. Qu’est-ce qu’elle a choisi ? demande Zoé à voix basse.

— «  »



— Je sens que ça va être rigolo ! Tu crois qu’elle va se mettre à péter partout ?

— Ouache ! Dégueu ! J’espère que non ! Il y a assez de mon frère qui pète sans arrêt à la maison !

Madame Gauthier se tourne face à la rue, place ses mains autour de sa bouche et annonce bien fort :

— Attention, mesdames et messieurs ! Ici votre capitaine. Dépêchez-vous, je vous prie ! Nous sommes prêts à larguer les amarres !

Lolly pouffe de rire. Dans la rue, les piétons l'observent en fronçant les sourcils.

Celle-ci en rajoute, la voix encore plus forte :

— Allez, par ici ! Venez déposer vos bagages ! Nous partons en direction des îles Canaries.

Le « faux capitaine » fait monter des gens imaginaires à bord de son navire. Il les salue, leur serre la main, s'assure qu'ils ne manquent de rien.

— Ayoye ! C'est malade ! lâche Zoé, la bouche grande ouverte. On dirait qu'elle croit vraiment tout ce qu'elle dit…

— Oui, c’est très drôle !

Lolly a mal au ventre à force de rire.

— C’est la sirène du bateau, ça ?

— On dirait bien !

TTTUUUUUUUTTT !
TTTUUUUUUUUTTTT!

Cette fois, tout le monde s’arrête pour observer la scène. Les piétons, les voitures, et même

l'autobus de la ville !

**TTTUUUUUUTTT ! TTTUUUUUUTTT !**

Lolly s'inquiète un peu quand un policier approche, une radio à la main. Elle ne voudrait pas que madame Gauthier ait des ennuis par sa faute. Et s'il décidait de l'emmener en prison ?

Zoé a vu le policier, elle aussi. Une idée lui vient aussitôt :

— Un homme à la mer ! hurle-t-elle de toutes ses forces. Un homme à la mer !

— Qu'est-ce que tu fais ? siffle Lolly entre ses dents. On va avoir des problèmes !

— Fais-moi confiance ! chuchote Zoé.

Puis, elle continue, les bras levés dans les airs :

— Capitaine, je suis tombée à l'eau ! Aidez-moi ! Par ici !

Sans perdre une seconde,

le « capitaine » écarquille les yeux et réalise que l'heure est grave.

— Oh ! Nom d'un bateau ! Coupez les moteurs ! Nous avons un homme à la mer !

Madame Gauthier se retourne vers Lolly et donne ses ordres :

— Moussaillon ! Lancez-lui une bouée.

— C'est à toi qu'elle parle ! dit Zoé à son amie.

— Hein ?

— Lance-moi une bouée de sauvetage !

Lolly regarde autour. Elle ne comprend pas pourquoi Zoé agit bizarrement, elle aussi. Elle n'a pas avalé de bonbon, pourtant !

— Plus vite ! la presse Zoé.

— OK. Donne-moi deux minutes !

Un peu gênée, elle dépose son plateau au sol et fait semblant de décrocher une bouée. Puis, elle la lance à Zoé.

— Bien joué, moussaillon ! la félicite le « capitaine ». Maintenant, remontons-le à bord. Je vais vous aider !

Ensemble, elles tirent la corde jusqu'à ce que Zoé soit saine et sauve.

Sur le trottoir, les passants se posent de plus en plus de questions.

Pourquoi cette scène étrange ?

Qu'est-ce qui lui prend, à madame Gauthier, de crier comme ça en pleine rue ? Elle qui est si timide, en temps normal !

Puis, comme si elle réalisait ce qu'elle venait de faire, la bouchère ouvre grand les yeux et secoue lentement la tête de gauche à droite.

OH! OH!

Les effets magiques du bonbon commencent à s’estomper.

OUPS !

Encore une fois, Zoé prend la relève.

— Merci beaucoup, mesdames et messieurs, chers amis, chers passants ! Vous venez d’assister à notre mini pièce de théâtre, qui avait pour titre : « Pouet ! Pouet ! » Je tiens à mentionner la participation spéciale de madame Gauthier,

qui s'est portée volontaire pour ensoleiller notre matinée, en cette journée froide et nuageuse. Je crois qu'on peut l'applaudir !

La petite foule qui s'est amassée sur le trottoir tape des mains timidement.

**Clap ! Clap ! Clap !**

— J'ai fait ça, moi ? se questionne madame Gauthier, à voix basse.

— Je vous remercie de votre

attention ! continue Zoé sans lui répondre. N'hésitez pas à entrer chez Croc ! Miam ! Pop ! pour vous réchauffer et découvrir les nouveautés de la Saint-Valentin.

Le policier s'en va, les piétons reprennent leur route et quelques curieux s'engouffrent dans la boutique. Quant à madame Gauthier, elle cligne des yeux, un peu sous le choc, et fait demi-tour.

— Je me sens très fatiguée, tout à coup…

Lolly et Zoé se regardent et éclatent de rire.

— C'était trop drôle !

— Quand est-ce qu'on recommence ?

# chapitre 12

## Un peu de poussière, des ongles d'orteils et le tour est joué !

Lolly consulte son cahier une dernière fois avant d'aller à l'école.

Juste après l'épisode du bateau-qui-emmène-des-gens-aux-îles-Canaries-avec-un-capitaine-trop-drôle, elle a pris soin de noter toutes les infos importantes au sujet de la recette testée.

« Pouet ! Pouet ! » = Sous-vêtements de joueurs de hockey professionnels. Préparation non testée par manque d'ingrédients. Effets inconnus pour l'instant.

Changer le nom pour « Tuuut ! Tuuut ! » = Sous-vêtements de Léo. Le sujet se transforme en commandant de bateau et invite les passagers à partir en croisière.

Durée : environ dix minutes.

Ce cahier est maintenant ce qu'elle possède de plus précieux.

Elle compte y transcrire toutes ses observations pour qu'il puisse devenir un **VRAI DE VRAI** grimoire.

Qui sait ? Peut-être que ses petits-enfants auront envie de poursuivre ses expériences, un jour ! (Même si l'idée d'avoir elle-même des enfants lui donne la chair de poule. Elle est bien trop jeune pour penser à ça ! )

Lolly referme son cahier. La journée promet d'être excitante ! Ultra-extra-méga excitante !

La veille, Zoé et elle ont passé l'après-midi à fouiller dans les ingrédients de grand-maman Pop et à concocter de nouveaux bonbons super spéciaux. À présent, il ne reste plus qu'à les tester. Quel meilleur endroit que l'école pour ce genre de choses ?

Dès qu'elles arrivent dans la cour, les deux amies se retrouvent pour résumer leur plan.

— Prends celui-ci et essaie de

le refiler à Bobby avant la récré, dit Lolly, en pigeant dans un sac plein de bonbons magiques. Je ne veux pas manquer ça !

— Pas de problème ! Et toi, tu as les blocs « WALL-E » ?

— Oui, ils sont dans mon sac.

— Prépare-toi, ils arrivent !

Zoé et Lolly se retournent vivement. À quelques mètres d'elles, Chloé, Pierre-Loup Casse-Cou et leurs amis approchent. Comme Lolly leur

a promis de leur rapporter une petite gâterie, la situation est idéale !

— Salut, tout le monde !

— Salut, Lolly !

— Tu as passé une belle fin de semaine ?

— Tu t'es bien amusée, à la confiserie ?

— Tu n'as pas eu besoin d'aide pour laver les toilettes ?

Lolly leur sourit.

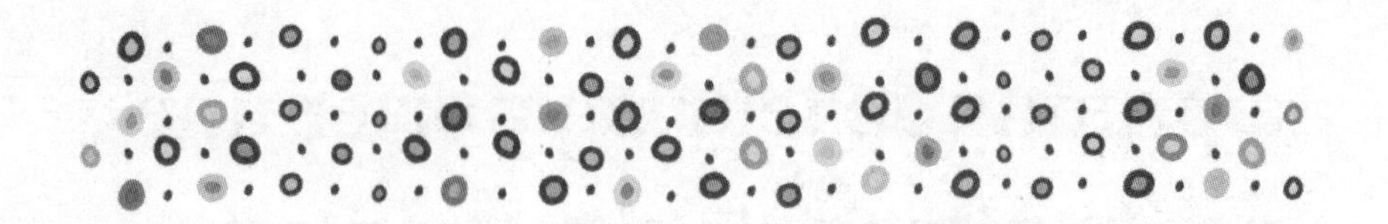

— C'était parfait, merci. On a reçu des nouveaux bonbons, vous en voulez ?

— Oh oui ! s'exclame Chloé en se précipitant sur elle. Qu'est-ce que c'est ?

— Oh ! Ils sont rigolos ! remarque Pierre-Loup. On dirait des petits blocs de construction en plastique.

— Allez-y ! Prenez-en chacun un. Ne soyez pas gênés.

Les bonbons disparaissent un à un.

Avalés !

Zoé et Lolly attendent avec impatience les premiers signes d'une quelconque transformation. Cette mystérieuse recette nommée « WALL-E » leur rappelle un film d'animation avec un petit robot tout mignon.

Si ça se trouve, ils vont se transformer en androïde ou en

humain bionique ! (Des trucs de robots, quoi !)

— Pourquoi vous nous regardez comme ça ? leur demande Chloé.

— Oh ! Pour rien ! On veut juste savoir s'ils sont bons.

— Vous n'y avez pas encore goûté ? On aurait dû vous en laisser !

— Non, non, c'est correct, la rassure Lolly. Je crois qu'il m'en reste au fond de mon sac.

— Alors ? s'impatiente Zoé.

— C'est un peu bizarre, avoue Pierre-Loup en suçotant son bonbon. On dirait que ça goûte… un peu comme…

— La poussière, complète Chloé.

— Ou le béton.

— Oui, c'est ça !

Les autres approuvent d'un hochement de tête.

Zoé grimace.

— Vous avez déjà mangé du béton ? Ouache !

— Ben non, voyons ! C'est juste qu'on a l'impression d'avoir un goût de brique dans la bouche… Ou de roche, je ne sais pas trop…

Lolly se mord l'intérieur de la joue. Elle a peut-être exagéré sur la poussière de balayeuse !

Pourvu que ses amis ne recrachent pas leur bonbon !

— Bon. Avalez-le et je vais

vous donner autre chose.
Je crois que j'ai des réglisses dans ma poche.

Elle ne les quitte pas des yeux.

— Et sinon ? Vous vous sentez bien ?

Chloé fronce les sourcils.

— Pourquoi tu nous demandes ça ?

— Pour rien, pour rien…

Les deux best échangent un regard curieux.

Les effets auraient déjà dû se manifester !

DRRRIIIINNNNGGG !

La cloche sonne. Tout le monde doit se mettre en rang.

— Qu’est-ce qu’on fait, maintenant ? chuchote Zoé.

— Rien du tout. Notre recette n’a pas fonctionné. J’imagine qu’on a oublié une étape ou qu’on s’est trompées dans la quantité d’un ingrédient.

— Je t’avais dit de ne pas mettre TOUS tes ongles d’orteils, aussi ! Un seul aurait suffi !

— Il fallait que je les coupe de toute façon ! Aussi bien les utiliser ! Non, moi, je pense qu’il fallait attendre trois secondes de plus avant d’ajouter la limace. Tu as compté beaucoup trop vite !

— N’importe quoi !

— N’importe quoi toi-même !

Les deux amies s’arrêtent de

marcher, se tirent la langue et éclatent de rire.

— On ne va pas se chicaner pour ça, hein !

— Oh que non !

— On a raté notre coup. Et alors ?

— On essaiera les autres bonbons à la récré.

— Oui, madame !

Lolly et Zoé se tapent dans la main et se séparent pour gagner

leur rang respectif. Tout à l'avant, une enseignante les fait entrer à tour de rôle.

Au moment où la classe de Pierre-Loup avance, une bousculade se déclenche et certains élèves sont expulsés à l'extérieur du rang.

Puis, un étrange phénomène se produit. Non. Étrange, ce n'est pas assez fort, comme mot.

Au lieu de percuter le mur de l'école, le corps entier de Pierre-Loup passe à travers et disparaît complètement.

Disparu !

Chapitre
13
ALERTE! ALERTE!
L'HEURE EST GRAVE!

Affolée, Lolly regarde partout autour d'elle. Personne ne semble avoir remarqué la disparition de Pierre-Loup. Les élèves et les enseignants sont trop occupés à gérer la bousculade.

— Du calme, les enfants !

— On reprend les rangs, allez !

— C'est lui qui a commencé !

— Non, c'est lui !

Elle trouve Zoé dans le brouhaha et lui fait signe de la suivre. Ensemble, elles rentrent dans le bâtiment sans être vues et tombent nez à nez avec Pierre-Loup.

— Hé ! Tu vas bien ? lui demande Lolly.



Pourtant, il semble avoir encore tous ses morceaux.

— Qu'est-ce qui s'est passé ? l'interroge Zoé. Tu es passé à travers le mur ? Pour vrai ?

Pierre-Loup relève la tête d’un coup sec.

— À travers le mur ? répète-t-il. C’est une blague, ou quoi ? Je ne suis pas l’homme invisible !

Lolly voudrait lui expliquer qu’être invisible ne signifie pas qu’on peut passer à travers les murs, mais Pierre-Loup est si ébranlé qu’elle préfère tenir sa langue.

— J’ai été poussé, c’est tout. Tommy m’a poussé. Je… Je suis tombé ici…

— D’accord. On te croit. Tu te sens assez bien pour aller en classe ? Tu n’as mal nulle part ?

— Je… C’est correct. Je vais y aller, dit-il en empruntant la direction des toilettes.

— Ne touche à rien, surtout ! lui crie Lolly, alors qu’il est déjà rendu à l’autre bout du couloir.

Dès qu’elles sont seules, Zoé et Lolly se regardent, sous le choc.

— Tu as vu ça ?

— C’était carrément dément !

— Ces « WALL-E » sont de vrais petits bijoux ! Il faut qu'on en prépare d'autres !

— Je suis d'accord ! s'exclame joyeusement Lolly. Ils vont être hyper pratiques. Je vais enfin pouvoir aider mon frère quand il s'enferme dans le sous-sol !

— Je vais pouvoir rentrer chez moi si je perds ma clé ! ajoute Zoé.

— Je vais pouvoir me lever la nuit et fouiller dans la confiserie pour compléter ma liste d'ingrédients.

— Je vais pouvoir espionner les gars, dans le vestiaire d'édu !

Lolly ouvre grand la bouche.

— Est-ce que j'ai dit ça à voix haute ? demande Zoé, gênée.

— Oui…

— Oublie ça, tu veux ?

En effet, Lolly préfère oublier ça.

— Les autres arrivent, annonce-t-elle d'un coup de menton.

— OK. On se voit plus tard.

Sans un mot de plus, les deux filles se glissent dans leur rang et suivent la file comme si de rien n'était.

— Sortez votre manuel de mathématique à la page cinquante-deux, demande madame Tania, dès que tout le monde a fini de défaire son sac. J'aimerais qu'on révise la notion que je vous ai apprise la semaine dernière.

Lolly ouvre son pupitre et entend la vibration de son iPod.

Qui peut bien la texter à cette heure ? Elle est en cours ! Elle n'a pas le droit de recevoir ni d'envoyer des messages !

Bien cachée derrière le couvercle de son bureau, elle s'empare de son appareil et le consulte rapidement.

EXTRÊME URGENCE ! RÉPONDS !

Le sang de Lolly ne fait qu'un tour. Si Zoé a pris le risque de lui écrire pendant les cours,

c'est que l'heure est grave !

Je ne peux pas !
Rejoins-moi
près du local
de musique.
TOUT DE SUITE !

Lolly connaît assez son amie pour savoir qu'elle doit obéir sans poser de question.

Elle range son iPod, referme son pupitre et va droit au bureau de son enseignante.

Elle n’a pas le choix, elle doit inventer quelque chose.

— Pardon, madame Tania. Est-ce que je peux aller aux toilettes, s’il vous plaît ?

— Pourquoi tu n’y es pas allée avant le début du cours ?

— Parce que je n’avais pas envie. Mais là, j’ai super mal au ventre. Je pense que j’ai attrapé

le virus de mon père. Il a été malade toute la fin de semaine. Il a même vomi sur la céramique de la salle de bain. Encore plus dégueu, pendant qu'on mangeait, il n'a pas eu le temps de se rendre aux toilettes et…

— C'est bon ! la coupe madame Tania, le visage dégoûté. Vas-y !

— Merci !

— Ce n'est pas la peine de revenir en classe si tu es malade.

Va voir la secrétaire, elle essaiera de communiquer avec tes parents.

OK !

Bon ! La voie est libre ! Lolly n'a pas le droit de courir dans les corridors de l'école, mais elle accélère tellement le pas qu'elle pourrait participer aux Jeux Olympiques dans la catégorie « marche rapide » ! En quelques secondes, elle aperçoit Zoé près du local de musique. Heureusement, personne d'autre ne se balade dans les couloirs.

— Qu'est-ce qu'il y a ? demande-t-elle aussitôt.

— On est dans le trouble !

— Quoi ? Explique ! Tu me fais peur !

— Eh bien ! Tu as raison d'avoir peur !

TOC ! TOC ! TOC !

Lolly tourne la tête en direction du mur.

TOC ! TOC ! TOC !

— C’est quoi, ce bruit ?

— Mauvaise question.

— Hein ? Qu’est-ce que tu veux dire ?

— Tu dois plutôt demander : c’est qui, ce bruit ?

TOC ! TOC ! TOC !

Lolly ne comprend pas.

— Aiiiddeezzzz-mooooiii !

La voix est faible, comme si… comme si elle était cachée derrière… un mur !

— Chloé est coincée, explique Zoé.

— Chloé ? Pour vrai ? Énooorrrmme !

— Hé ! C'est loin d'être drôle !

— Au contraire ! Ça veut dire que nos blocs « WALL-E » fonctionnent super bien ! D'abord Pierre-Loup, et maintenant Chloé ! C'est génial !

Lolly est très contente de leurs expériences.

— Le bonbon n'agit plus ! s'exclame Zoé. Son effet a disparu !

— Et alors ?

Zoé lève les yeux au ciel.

— Tu t'es réveillée, ce matin, ou tu dors encore ? Allume ! Elle ne peut plus sortir de là. Elle est redevenue comme avant. ELLE-NE-PEUT-PLUS-PASSER-À-TRAVERS-LES-MURS !

— Il doit bien y avoir une façon de la dégager de là ! Je veux dire : elle est où ? dans un rangement ? une salle des machines ?

— C'est ça, le problème, justement ! Elle n'est nulle part ! C'est un espace vide entre le corridor et le gymnase. Il n'y a pas de porte, pas de fenêtre, pas même un minuscule trou à rat.

— Oh !

— Enfin ! Elle comprend !

— Aiiiddeezzzz-mooooiii !

— Qu'est-ce qu'on fait, à présent ? demande Zoé. On appelle les pompiers ?

— Les pompiers ? Tu vois un feu, toi ?

— Non, mais…

— Pas de pompier ! décide Lolly. On l'a mise dans cette situation, c'est donc à nous de l'en sortir. Je crois que j'ai une idée !

Lolly avance son visage près du mur et crie :

— Ne t'en fais pas, Chloé ! Je m'occupe de toi !

Puis, elle pique une course à travers le corridor.

— Hé ! intervient Zoé. Tu n'as pas le droit de…

Mais elle se tait. Après tout, elles viennent d'emprisonner une fille dans un mur de leur école… À côté de ça, rien ne lui semble bien grave, surtout pas un petit sprint de rien du tout.

Lolly court de toutes ses forces. Elle doit récupérer ses

bonbons magiques ! Tout de suite !

— J'aurais TELLEMENT dû les laisser dans la poche de mon manteau ! se dit-elle, furieuse contre elle-même.

À présent, elle doit retourner dans sa classe, se rendre jusqu'à son pupitre, l'ouvrir, trouver ses bonbons, les cacher dans sa poche, refermer son pupitre et quitter le local sans être vue.

MISSION IMPOSSIBLE !

— Pourquoi je ne suis pas l'homme invisible, aussi ?

Lorsqu'elle longe le corridor, une idée lui passe par la tête. Une idée un peu folle…

Elle parcourt encore quelques pas et s'arrête devant l'alarme d'incendie.

— Non… Je ne peux pas faire ça…, tente-t-elle de se convaincre. Je dois trouver une autre solution.

Mais elle n'arrive pas à bouger.

— En même temps… ce serait si facile ! Est-ce que c'est illégal ? Est-ce que je peux aller en prison, pour ça ?

Elle allonge le bras, pose ses doigts sur l'appareil et s'imagine tirer un bon coup sec.

Aussitôt, des images bien vilaines lui apparaissent.

Des centaines d'enfants
évacués dans la cour d'école.
Au froid… En plein hiver…
Sans bottes ni manteau…

Les pompiers qui arrivent
en catastrophe, les tuyaux
prêts à servir.

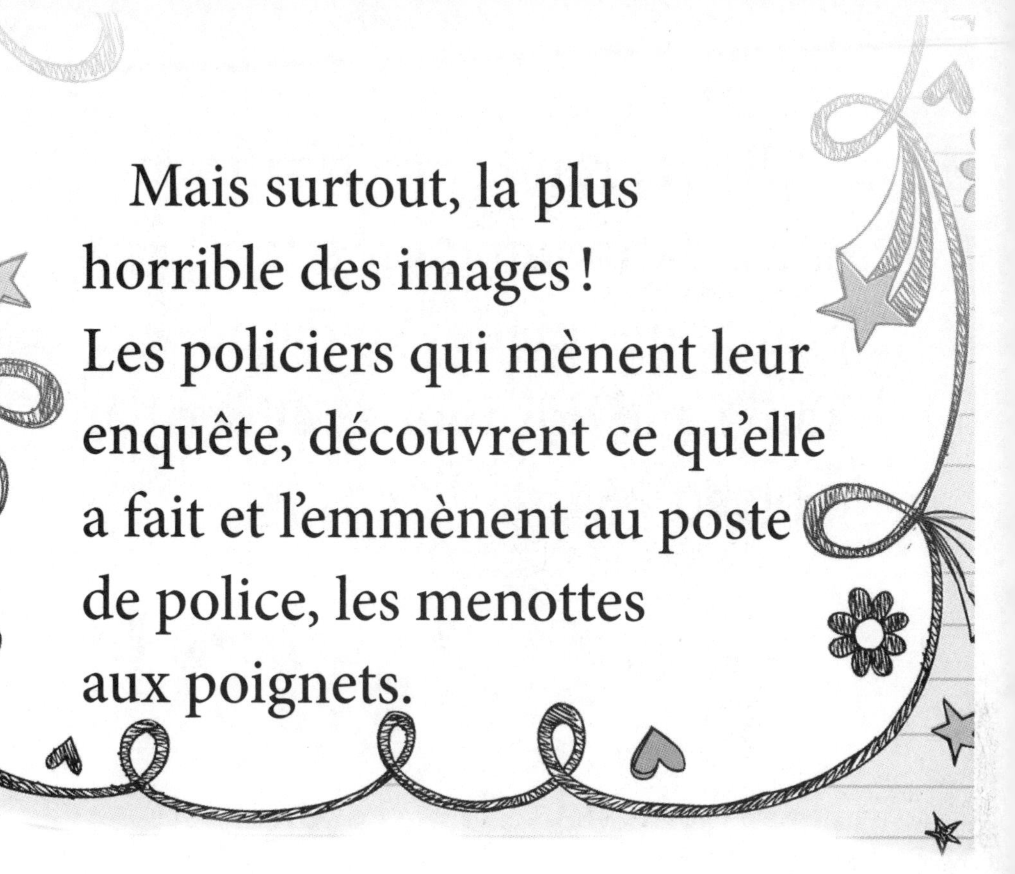

Mais surtout, la plus horrible des images ! Les policiers qui mènent leur enquête, découvrent ce qu'elle a fait et l'emmènent au poste de police, les menottes aux poignets.

Lolly retire ses doigts de l'alarme d'incendie, horrifiée.

— Pas question de tirer là-dessus ! Je dois y arriver autrement.

Elle reprend son chemin et entre dans son local sur la pointe des pieds. Madame Tania a le dos tourné et écrit au tableau.

PARFAIT !

Lolly avance sans faire de bruit et remarque que des visages curieux l'observent. Elle pose un index sur ses lèvres pour leur faire un « chut ! » silencieux. Puis, à la manière d'une vraie espionne, elle se

faufile et s'empare de son sac de bonbons.

Tout va comme sur des roulettes jusqu'à ce que…

Le couvercle de son bureau lui glisse des mains et se referme avec fracas.

PATACLAC !

— Lolly ? s'étonne son enseignante en tournant la tête. Qu'est-ce que tu fais ?

— Euh…

— Est-ce que tu te sens mieux ?

— Ben… Justement. Je me sens moyen mieux. Je pense que… Je pense que je vais retourner aux toilettes !

Voilà sa porte de sortie. En deux temps trois mouvements, elle se précipite hors de sa classe et rejoint Zoé, qui n'a toujours pas bougé d'un poil.

— Ah ! Te revoilà ! C'est quoi, ton plan ?

Lolly sort le sachet de bonbons de la poche arrière de son jeans.

— J'en mange un, je passe à travers le mur, j'en donne un à Chloé et on revient toutes les deux. Ce n'est pas plus compliqué que ça.

Zoé approuve d'un hochement de tête et examine le contenu du sachet.

— **Oh ! Oh !** On a un problème.

— Oui, je sais ! Mais je viens de trouver la solution.

— Non ! On a un AUTRE problème.

— Quoi ?

— Regarde dans ton sac. Il ne reste qu'UN « WALL-E ».

— Et alors ? On en fera d'autres, c'est tout !

— Je veux bien te croire, mais dis-moi comment tu vas faire pour en prendre un et en donner un autre à Chloé ?

PROBLÈÈÈÈME !

Pire encore !

— Tu crois que ça peut fonctionner si je mange juste la moitié ? tente Lolly.

— Comment je pourrais savoir ?

— Pourquoi tu n'essaierais pas à ma place ?

— Pas question !

— Poule mouillée !

— Poule mouillée toi-même !

Lolly prend une grande respiration.

— Bon. OK. Je vais le faire. Si tu vois qu'on ne revient pas d'ici cinq minutes, Chloé et moi, cours à la maison, entre dans ma chambre et prépare rapido presto une autre recette de « WALL-E ». Compris ?

— Ta mère ne me laissera pas faire ! Elle va m'interroger !

— Situation d'urgence. Tu n'as pas le choix ! Je suis sûre

que tu sauras te débrouiller.

Zoé hésite.

— Je peux compter sur toi ?

— Oui, oui.

— Promis ? Je ne veux pas restée coincée entre ces murs pendant deux jours.

— Moi non pluuuuus ! rouspète la voix lointaine de Chloé.

— Promis ! affirme Zoé en

serrant son amie dans ses bras. Allez, sois prudente.

— Je t'aime !

— Moi aussi, je t'aime !

— Ça suffit ! se fâche Chloé, impatiente. Tu viens me chercher ou pas ?

Lolly prend le bonbon dans ses doigts et croque dedans pour en avaler la moitié.

— Comment tu te sens ?

— Étonnamment bien. On

dirait que je suis plus légère.

— Vas-y. Essaie de passer à travers le mur.

Lolly tend le bras et l'appuie contre le béton, mais ne parvient pas à rejoindre Chloé.

— Peut-être qu'il faut attendre encore un peu…

— Pousse-moi fort. Je ne peux pas me permettre d'attendre une

seconde de plus. On ne sait pas combien de temps il me reste, alors je veux faire vite.

Lolly s'installe face au mur et compte :

— Un… deux… trois… Go !

— C'est parti !

Zoé se prend un élan et appuie dans le dos de son amie de toutes ses forces.

— **AARRRGGGHHH !**

En un rien de temps, Lolly traverse le mur.

— Ataboy ! C’est complètement débile !

— Je ne te le fais pas dire ! approuve Chloé, la voix faible.

Plongées dans une noirceur totale, les deux filles ne se voient pas l'une l'autre. À tâtons, Lolly trouve enfin la main de Chloé et y dépose l'autre moitié du bonbon « WALL-E ».

— Avale ça. Tout de suite !

— C'est fait.

— OK. Je traverse de l'autre côté. Rejoins-moi dès que tu peux.

— Comment je fais ?

— Donne-toi un élan et fonce ! On se retrouve dans le corridor.

Lolly traverse et saute dans les bras de Zoé.

— Oh ! J'ai réussi !

— Oui ! Bravo !

Chloé apparaît à son tour. Les deux filles se félicitent pour leur exploit.

— Bravo ! Tu as été géniale !

— Oui, toi aussi !

— Méchante matinée !

— Tellement ! C’était fou !

Chloé, de son côté, leur demande, le visage blême :

— Est-ce que vous êtes des sorcières ?

Lolly et Zoé éclatent de rire et retournent en classe.

Voici une expérience scientifique testée sur des enfants un peu trop gourmands.

Dans la cour d'école, tout est calme.

— C'est bizarre, tu ne trouves pas ?

— Quoi ?

— Ce silence.

— Bof. Moi, je trouve que ça fait du bien. C'est toujours trop bruyant à mon goût, pendant la récré.

— Oui, je suis d'accord, mais

là, c'est presque épeurant.

Lolly promène son regard aux alentours.

À leur gauche, un groupe d'élèves de sixième année forme un cercle de murmures. À leur droite, Chloé, Pierre-Loup et leurs amis sifflent en levant la tête vers le ciel, comme s'ils faisaient semblant de s'intéresser aux oiseaux. (Sauf qu'il n'y a aucun oiseau dans le ciel, en ce moment !)

Droit devant, deux petites

filles les fixent avec des yeux plus ronds et plus grands que des balles de golf. Lolly perd patience.

**QUOI ?**

Les petites filles s'enfuient à toute vitesse.

Puis, tout se passe très vite.

Un garçon nommé Fred s'approche et fonce droit sur Lolly, suivi des autres groupes à l'allure inquiétante.

— Hé ! Qu'est-ce que vous faites ?

— Il paraît que vous avez des bonbons qui font passer à travers les murs. Je les veux !

Des mains s'emparent d'elle, ouvrent son manteau et fouillent à l'intérieur de ses poches.

— C'est moi qui les veux !

— Non ! C'est moi !

— J'en ai plus besoin que vous !

— Même pas !

Zoé prend la défense de son amie.

— Laissez-la tranquille, bande de sauvages !

Mais elle est impuissante. Ils sont trop nombreux et, surtout, trop décidés à obtenir ce qu'ils sont venus chercher.

— Je l'ai !

Fred lève le sac de bonbons bien haut, fier de sa trouvaille.

— C’est à moi ! se plaint Lolly. Vous n’avez pas le droit de le prendre. Il m’appartient.

— Plus maintenant !

L’ennui, c’est que Fred a à peine eu le temps d’avaler un bonbon qu’il se fait attaquer à son tour. Il essaie de se sauver en courant, mais une fillette plus rapide que lui le rattrape bientôt… qui, elle-même, se fait poursuivre par Pierre-Loup

Casse-Cou… qui tire un peu trop fort…

SCRATCH !

Le sac se déchire et les bonbons s'éparpillent au sol. Tout le monde se bouscule pour avoir sa part et, en quelques secondes, il ne reste plus rien.

— Je crois qu'on va bien rigoler ! déclare Lolly, qui trouve que la situation a pris une tournure assez comique.

— Oh ! Que que oui !

— Tant pis pour eux ! Ils n’avaient qu’à ne pas me voler mes affaires.

Un cri aigu se fait entendre.

— **Hiiiiiiiiiiiiiiiiii !**

Une petite fille a perdu ses bras et tente de les récupérer tandis qu’ils se sauvent en sautillant dans la neige. Le plus drôle, c’est que la pauvre fillette N’A PLUS DE BRAS, alors elle n’a aucun moyen de les attraper.

Juste à côté, autre scène hilarante : un garçon nommé Olivier a les cheveux qui poussent vite, vite, vite ! En essayant d'avancer, il pose le pied sur sa propre chevelure, trébuche et tombe sur Chloé, qui n'arrive plus à arrêter de danser la claquette.

— Regarde là-bas ! dit Zoé en pointant du doigt.

— Le garçon au nez en forme de trompette ? demande Lolly.

Ce dernier colle son énorme

instrument à l'oreille des gens et leur joue des airs de fanfare.

— C'est vrai qu'il est tordant, mais je voulais te montrer l'autre, un peu plus loin. Je crois que c'est Félix. On dirait qu'il va s'envoler.

— Tu as raison ! C'est fou ! Il est couvert de plumes.

— Et il a aussi… euh… un gros derrière…

Lolly et Zoé plissent les yeux.

— C'est quelle sorte d'oiseau, ça ?

— Une chouette ?

— Non, les chouettes ont un tout petit cou. Le sien est hyper long.

— Exact. C'est peut-être un héron.

L'oiseau non identifié avance de quelques pas, s'arrête et s'accroupit au sol.

— Qu'est-ce qu'il fait, tu crois ? Une sieste ?

Quelques secondes plus tard, Lolly et Zoé éclatent de rire.

— Oh ! Je n'y crois pas ! Il a pondu un œuf !

— Un ŒUF ! Hi, hi, hi ! Un œuf d'autruche !

— Félix est une autruche !

Lolly ne pouvait espérer plus belle journée. Elle est entourée

d'enfants qui jonglent avec des voitures (**Zip ! Zap ! Zop !**), qui vomissent des fleurs (Buurrpp !), qui parlent à l'envers (? srevne'l à elrap ej iouqruop siaM), qui se prennent pour des joueurs de golf (Attention, la balle roule sur le vert, elle roule, elle roule, et… Oui ! Un birdie !) ou qui arrivent à imiter un nombre incalculable de sonneries de téléphone (**Driiing ! Ding dong ! Di-dou-di-dou ! Viouuu, viouuu, viouuu ! Pling Pling Pling !**).

Elle aperçoit même deux ou trois pères Noël qui donnent leurs ordres aux rennes en criant et en lançant des

**HO! HO! HO!**

Mais le plus étonnant dans tout ça (et il y a UN TAS de choses étonnantes à voir, dans cette cour d'école), c'est que les enseignants ne réagissent pas du tout.

Ils sont figés comme des statues et observent la scène sans intervenir.

— Tu crois qu'ils ont la trouille ? demande Zoé.

— Je crois qu'ils sont terrifiés.

Peu à peu, le calme revient. Les élèves retrouvent leur apparence normale (ils récupèrent leurs membres, perdent leurs plumes, grandissent ou rapetissent, selon le cas) et se mettent à rigoler.

— C'était trop génial !

— Tu l'as dit ! Je ne me suis jamais autant amusé !

— Dommage que ce soit déjà fini !

DRRRIIINNNGGG !

La cloche annonce la fin de la récré et tout le monde prend son rang.

Dans les classes,
les enseignants sont encore sous le choc (ils tremblent de partout) et les élèves, épuisés, n’ont d’autre choix que de poser la tête sur leur bureau pour se reposer.

# Chapitre 15

Les aventures de Lolly Pop ne sont pas terminées ! Oh non ! Elles ne font que commencer !

En rentrant de l'école cet après-midi-là, Lolly se met au travail et crée le plus beau, le plus original, le plus extravagant de tous les décors de Saint-Valentin.

— C'est incroyable, ma puce ! Tu es fantastique !

— Merci, maman.

Lolly est bien heureuse de sa réalisation. Elle se retourne et observe le résultat, satisfaite. Oui, elle a réussi. En plus, le magasin est plein à CRAQUER.